BODAS DE SANGRE

—

YERMA

COLECCIÓN AUSTRAL
N.º 1490

FEDERICO GARCÍA LORCA

BODAS DE SANGRE

TRAGEDIA EN TRES ACTOS Y SIETE CUADROS

(1933)

YERMA

POEMA TRÁGICO EN TRES ACTOS
Y SEIS CUADROS

(1934)

DÉCIMA EDICIÓN

ESPASA-CALPE, S. A.
MADRID

Ediciones especialmente autorizadas por los herederos del autor para

COLECCIÓN AUSTRAL

Primera edición: 28 -   V   - 1971
Segunda edición: 3 -   I   - 1973
Tercera edición: 12 - III - 1975
Cuarta edición: 25 -   X   - 1976
Quinta edición: 16 - XI - 1977
Sexta edición: 29 - VII - 1978
Séptima edición: 24 -   X   - 1979
Octava edición: 19 - VI - 1980
Novena edición: 2 - IV - 1981
Décima edición: 20 - II   - 1982

—

Depósito legal: M. 1.182—1982

ISBN 84–239–1490–9

Impreso en España
Printed in Spain

Acabado de imprimir el día 20 de febrero de 1982

Talleres gráficos de la Editorial Espasa-Calpe, S. A.
Carretera de Irún, km. 12,200. Madrid-34

BODAS DE SANGRE

TRAGEDIA EN TRES ACTOS Y SIETE CUADROS

(1933)

PERSONAJES

LA MADRE.

LA NOVIA.

LA SUEGRA.

LA MUJER DE LEONARDO.

LA CRIADA.

LA VECINA.

MUCHACHAS.

LEONARDO.

EL NOVIO.

EL PADRE DE LA NOVIA.

LA LUNA.

LA MUERTE *(como mendiga)*.

LEÑADORES.

MOZOS.

ÍNDICE

A C T O   P R I M E R O

CUADRO I

Habitación pintada de amarillo

NOVIO
(Entrando)

Madre.

MADRE

¿Qué?

NOVIO

Me voy.

MADRE

¿Adónde?

NOVIO

A la viña. *(Va a salir.)*

MADRE

Espera.

NOVIO

¿Quieres algo?

MADRE

Hijo, el almuerzo.

NOVIO

Déjalo. Comeré uvas. Dame la navaja.

MADRE

¿Para qué?

NOVIO
(Riendo)

Para cortarlas.

MADRE
(Entre dientes y buscándola)

La navaja, la navaja... Malditas sean todas y el bribón que las inventó.

NOVIO

Vamos a otro asunto.

MADRE

Y las escopetas, y las pistolas, y el cuchillo más pequeño, y hasta las azadas y los bieldos de la era.

NOVIO

Bueno.

MADRE

Todo lo que puede cortar el cuerpo de un hombre. Un hombre hermoso, con su flor en la boca, que sale a las viñas o va a sus olivos propios, porque son de él, heredados...

NOVIO
(Bajando la cabeza)

Calle usted.

MADRE

... y ese hombre no vuelve. O si vuelve es para ponerle una palma encima o un plato de sal gorda para que no se hinche. No sé cómo te atreves a llevar una navaja en tu cuerpo, ni cómo yo dejo a la serpiente dentro del arcón.

NOVIO

¿Está bueno ya?

MADRE

Cien años que yo viviera no hablaría de otra cosa. Primero, tu padre, que me olía a clavel y lo disfruté tres años escasos. Luego, tu hermano. ¿Y es justo y puede ser que una cosa pequeña como una pistola o una navaja pueda acabar con un hombre, que es un toro? No callaría nunca. Pasan los meses y la desesperación me pica en los ojos y hasta en las puntas del pelo.

NOVIO
(Fuerte)

¿Vamos a acabar?

MADRE

No. No vamos a acabar. ¿Me puede alguien traer a tu padre? ¿Y a tu hermano? Y luego, el presidio. ¿Qué es el presidio? ¡Allí comen, allí fuman, allí tocan los instrumentos! Mis muertos llenos de hierba, sin hablar, hechos polvo; dos hombres que eran dos geranios... Los matadores, en presidio, frescos, viendo los montes...

NOVIO

¿Es que quiere usted que los mate?

MADRE

No... Si hablo, es porque... ¿Cómo no voy a hablar viéndote salir por esa puerta? Es que no me gusta

que lleves navaja. Es que..., que no quisiera que sa-
lieras al campo.

NOVIO

(Riendo)

¡Vamos!

MADRE

Que me gustaría que fueras una mujer. No te irías
al arroyo ahora y bordaríamos las dos cenefas y pe-
rritos de lana.

NOVIO

(Coge de un brazo a la MADRE y ríe)

Madre, ¿y si yo la llevara conmigo a las viñas?

MADRE

¿Qué hace en las viñas una vieja? ¿Me ibas a meter
debajo de los pámpanos?

NOVIO

(Levantándola en sus brazos)

Vieja, revieja, requetevieja.

MADRE

Tu padre sí que me llevaba. Eso es buena casta.
Sangre. Tu abuelo dejó a un hijo en cada esquina.
Eso me gusta. Los hombres, hombres; el trígo, trigo.

NOVIO

¿Y yo, madre?

MADRE

¿Tú, qué?

NOVIO

¿Necesito decírselo otra vez?

MADRE
(Seria)

¡Ah!

NOVIO

¿Es que le parece mal?

MADRE

No.

NOVIO

¿Entonces?...

MADRE

No lo sé yo misma. Así, de pronto, siempre me sorprende. Yo sé que la muchacha es buena. ¿Verdad que sí? Modosa. Trabajadora. Amasa su pan y cose sus faldas, y siento, sin embargo, cuando la nombro, como si me dieran una pedrada en la frente.

NOVIO

Tonterías.

MADRE

Más que tonterías. Es que me quedo sola. Ya no me quedas más que tú, y siento que te vayas.

NOVIO

Pero usted vendrá con nosotros.

MADRE

No. Yo no puedo dejar aquí solos a tu padre y a tu hermano. Tengo que ir todas las mañanas, y si me voy es fácil que muera uno de los Félix, uno de la

familia de los matadores, y lo entierren al lado. ¡Y eso
sí que no! ¡Ca! ¡Eso sí que no! Porque con las uñas
los desentierro y yo sola los machaco contra la tapia.

NOVIO
(Fuerte)

Vuelta otra vez.

MADRE

Perdóname. *(Pausa.)* ¿Cuánto tiempo llevas en re-
laciones?

NOVIO

Tres años. Ya pude comprar la viña.

MADRE

Tres años. Ella tuvo un novio, ¿no?

NOVIO

No sé. Creo que no. Las muchachas tienen que
mirar con quién se casan.

MADRE

Sí. Yo no miré a nadie. Miré a tu padre, y cuando
lo mataron miré a la pared de enfrente. Una mujer
con un hombre, y ya está.

NOVIO

Usted sabe que mi novia es buena.

MADRE

No lo dudo. De todos modos, siento no saber cómo
fue su madre.

NOVIO

¿Qué más da?

MADRE
(Mirándole)

Hijo.

NOVIO

¿Qué quiere usted?

MADRE

¡Que es verdad! ¡Que tienes razón! ¿Cuándo quieres que la pida?

NOVIO
(Alegre)

¿Le parece bien el domingo?

MADRE
(Seria)

Le llevaré los pendientes de azófar, que son antiguos, y tú le compras...

NOVIO

Usted entiende más...

MADRE

Le compras unas medias caladas, y para ti dos trajes... ¡Tres! ¡No te tengo más que a ti!

NOVIO

Me voy. Mañana iré a verla.

MADRE

Sí, sí; y a ver si me alegras con seis nietos, o los que te dé la gana, ya que tu padre no tuvo lugar de hacérmelos a mí.

NOVIO

El primero para usted.

MADRE

Sí, pero que haya niñas. Que yo quiero bordar y hacer encaje y estar tranquila.

NOVIO

Estoy seguro que usted querrá a mi novia.

MADRE

La querré. *(Se dirige a besarlo y reacciona.)* Anda, ya estás muy grande para besos. Se los das a tu mujer. *(Pausa. Aparte.)* Cuando lo sea.

NOVIO

Me voy.

MADRE

Que caves bien la parte del molinillo, que la tienes descuidada.

NOVIO

¡Lo dicho!

MADRE

Anda con Dios. *(Vase el NOVIO. La MADRE queda sentada de espaldas a la puerta. Aparece en la puerta una VECINA vestida de color oscuro, con pañuelo a la cabeza.)* Pasa.

VECINA

¿Cómo estás?

MADRE

Ya ves.

VECINA

Yo bajé a la tienda y vine a verte. ¡Vivimos tan lejos!...

MADRE

Hace veinte años que no he subido a lo alto de la calle.

VECINA

Tú estás bien.

MADRE

¿Lo crees?

VECINA

Las cosas pasan. Hace dos días trajeron al hijo de mi vecina con los dos brazos cortados por la máquina. *(Se sienta.)*

MADRE

¿A Rafael?

VECINA

Sí. Y allí lo tienes. Muchas veces pienso que tu hijo y el mío están mejor donde están, dormidos, descansando, que no expuestos a quedarse inútiles.

MADRE

Calla. Todo eso son invenciones, pero no consuelos.

VECINA

¡Ay!

MADRE

¡Ay!

(Pausa.)

VECINA
(Triste)

¿Y tu hijo?

MADRE

Salió.

VECINA

¡Al fin compró la viña!

MADRE

Tuvo suerte.

VECINA

Ahora se casará.

MADRE

(Como despertando y acercando su silla a la silla de la VECINA*)*

Oye.

VECINA

(En plan confidencial)

Dime.

MADRE

¿Tú conoces a la novia de mi hijo?

VECINA

¡Buena muchacha!

MADRE

Sí, pero...

VECINA

Pero quien la conozca a fondo no hay nadie. Vive sola con su padre allí, tan lejos, a diez leguas de la casa más cerca. Pero es buena. Acostumbrada a la soledad.

MADRE

¿Y su madre?

VECINA

A su madre la conocí. Hermosa. Le relucía la cara como a un santo; pero a mí no me gustó nunca. No quería a su marido.

MADRE
(Fuerte)

Pero ¡cuántas cosas sabéis las gentes!

VECINA

Perdona. No quisiera ofender; pero es verdad. Ahora, si fue decente o no, nadie lo dijo. De esto no se ha hablado. Ella era orgullosa.

MADRE

¡Siempre igual!

VECINA

Tú me preguntaste.

MADRE

Es que quisiera que ni a la viva ni a la muerta las conociera nadie. Que fueran como dos cardos, que ninguna persona los nombra y pinchan si llega el momento.

VECINA

Tienes razón. Tu hijo vale mucho.

MADRE

Vale. Por eso lo cuido. A mí me habían dicho que la muchacha tuvo novio hace tiempo.

VECINA

Tendría ella quince años. Él se casó ya hace dos años con una prima de ella, por cierto. Nadie se acuerda del noviazgo.

MADRE

¿Cómo te acuerdas tú?

VECINA

¡Me haces unas preguntas!...

MADRE

A cada uno le gusta enterarse de lo que le duele.
¿Quién fue el novio?

VECINA

Leonardo.

MADRE

¿Qué Leonardo?

VECINA

Leonardo el de los Félix.

MADRE
(Levantándose)

¡De los Félix!

VECINA

Mujer, ¿qué culpa tiene Leonardo de nada? Él tenía
ocho años cuando las cuestiones.

MADRE

Es verdad... Pero oigo eso de Félix y es lo mismo
(Entre dientes.) Félix que llenárseme de cieno la boca
(Escupe.), y tengo que escupir, tengo que escupir por
no matar.

VECINA

Repórtate. ¿Qué sacas con eso?

MADRE

Nada. Pero tú lo comprendes.

VECINA

No te opongas a la felicidad de tu hijo. No le digas nada. Tú estás vieja. Yo, también. A ti y a mí nos toca callar.

MADRE

No le diré nada.

VECINA
(Besándola)

Nada.

MADRE
(Serena)

¡Las cosas!...

VECINA

Me voy, que pronto llegará mi gente del campo.

MADRE

¿Has visto qué día de calor?

VECINA

Iban negros los chiquillos que llevan el agua a los segadores. Adiós, mujer.

MADRE

Adiós. *(Se dirige a la puerta de la izquierda. En medio del camino se detiene y lentamente se santigua.)*

Telón

CUADRO II

Habitación pintada de rosa con cobres y ramos de flores po-
pulares. En el centro, una mesa con mantel. Es la mañana.
SUEGRA *de* LEONARDO *con un niño en brazos. Lo mece. La* MUJER,
en la otra esquina, hace punto de media

SUEGRA

Nana, niño, nana
del caballo grande
que no quiso el agua.
El agua era negra
dentro de las ramas.
Cuando llega al puente
se detiene y canta.
¿Quién dirá, mi niño,
lo que tiene el agua
con su larga cola
por su verde sala?

MUJER
(Bajo)

Duérmete, clavel,
que el caballo no quiere beber.

SUEGRA

Duérmete, rosal,
que el caballo se pone a llorar.
Las patas heridas,
las crines heladas,
dentro de los ojos
un puñal de plata.
Bajaban al río.
¡Ay, cómo bajaban!
La sangre corría
más fuerte que el agua.

MUJER

Duérmete, clavel,
que el caballo no quiere beber.

SUEGRA

Duérmete, rosal,
que el caballo se pone a llorar.

MUJER

No quiso tocar
la orilla mojada,
su belfo caliente
con moscas de plata.
A los montes duros
solo relinchaba
con el río muerto
sobre la garganta.
¡Ay caballo grande
que no quiso el agua!

¡Ay dolor de nieve,
caballo del alba!

SUEGRA

¡No vengas! Detente,
cierra la ventana
con rama de sueños
y sueño de ramas.

MUJER

Mi niño se duerme.

SUEGRA

Mi niño se calla.

MUJER

Caballo, mi niño
tiene una almohada.

SUEGRA

Su cuna de acero.

MUJER

Su colcha de holanda.

SUEGRA

Nana, niño, nana.

MUJER

¡Ay caballo grande
que no quiso el agua!

SUEGRA

¡No vengas, no entres!
Vete a la montaña.
Por los valles grises
donde está la jaca.

MUJER
(Mirando)

Mi niño se duerme.

SUEGRA

Mi niño descansa.

MUJER
(Bajito)

Duérmete, clavel,
que el caballo no quiere beber.

SUEGRA
(Levantándose, y muy bajito)

Duérmete, rosal,
que el caballo se pone a llorar.

(Entran al niño. Entra LEONARDO.)

LEONARDO

¿Y el niño?

MUJER

Se durmió.

LEONARDO

Ayer no estuvo bien. Lloró por la noche.

MUJER

(Alegre)

Hoy está como una dalia. ¿Y tú? ¿Fuiste a casa del herrador?

LEONARDO

De allí vengo. ¿Querrás creer? Llevo más de dos meses poniendo herraduras nuevas al caballo y siempre se le caen. Por lo visto se las arranca con las piedras.

MUJER

¿Y no será que lo usas mucho?

LEONARDO

No. Casi no lo utilizo.

MUJER

Ayer me dijeron las vecinas que te habían visto al límite de los llanos.

LEONARDO

¿Quién lo dijo?

MUJER

Las mujeres que cogen las alcaparras. Por cierto que me sorprendió. ¿Eras tú?

LEONARDO

No. ¿Qué iba a hacer yo allí, en aquel secano?

MUJER

Eso dije. Pero el caballo estaba reventando de sudor.

LEONARDO

¿Lo viste tú?

MUJER

No. Mi madre.

LEONARDO

¿Está con el niño?

MUJER

Sí. ¿Quieres un refresco de limón?

LEONARDO

Con el agua bien fría.

MUJER

¡Cómo no viniste a comer!...

LEONARDO

Estuve con los medidores del trigo. Siempre entretienen.

MUJER
(Haciendo el refresco y muy tierna)

¿Y lo pagan a buen precio?

LEONARDO

El justo.

MUJER

Me hace falta un vestido y al niño una gorra con lazos.

LEONARDO
(Levantándose)

Voy a verlo.

MUJER

Ten cuidado, que está dormido.

SUEGRA
(Saliendo)

Pero ¿quién da esas carreras al caballo? Está abajo, tendido, con los ojos desorbitados, como si llegara del fin del mundo.

LEONARDO
(Agrio)
Yo.

SUEGRA
Perdona; tuyo es.

MUJER
(Tímida)
Estuvo con los medidores del trigo.

SUEGRA
Por mí, que reviente. *(Se sienta.)*

(Pausa.)

MUJER
El refresco. ¿Está frío?

LEONARDO
Sí.

MUJER
¿Sabes que piden a mi prima?

LEONARDO
¿Cuándo?

MUJER
Mañana. La boda será dentro de un mes. Espero que vendrán a invitarnos.

LEONARDO
(Serio)

No sé.

SUEGRA

La madre de él creo que no estaba muy satisfecha con el casamiento.

LEONARDO

Y quizá tenga razón. Ella es de cuidado.

MUJER

No me gusta que penséis mal de una buena muchacha.

SUEGRA

Pero cuando dice eso es porque la conoce. ¿No ves que fue tres años novia suya? *(Con intención.)*

LEONARDO

Pero la dejé. *(A su mujer.)* ¿Vas a llorar ahora? ¡Quita! *(La aparta bruscamente las manos de la cara.)* Vamos a ver al niño. *(Entran abrazados.)*

> *(Aparece la MUCHACHA, alegre. Entra corriendo.)*

MUCHACHA

Señora.

SUEGRA

¿Qué pasa?

MUCHACHA

Llegó el novio a la tienda y ha comprado todo lo mejor que había.

SUEGRA

¿Vino solo?

MUCHACHA

No, con su madre. Seria, alta. *(La imita.)* Pero
¡qué lujo!

SUEGRA

Ellos tienen dinero.

MUCHACHA

¡Y compraron unas medias caladas!... ¡Ay, qué
medias! ¡El sueño de las mujeres en medias! Mire
usted: una golondrina aquí *(Señala el tobillo.)*, un
barco aquí *(Señala la pantorrilla.)* y aquí una rosa.
(Señala el muslo.)

SUEGRA

¡Niña!

MUCHACHA

¡Una rosa con las semillas y el tallo! ¡Ay! ¡Todo
en seda!

SUEGRA

Se van a juntar dos buenos capitales.

(Aparecen LEONARDO *y su* MUJER.)

MUCHACHA

Vengo a deciros lo que están comprando.

LEONARDO
(Fuerte)

No nos importa.

MUJER

Déjala.

SUEGRA

Leonardo, no es para tanto.

MUCHACHA

Usted dispense. *(Se va llorando.)*

SUEGRA

¿Qué necesidad tienes de ponerte a mal con las gentes?

LEONARDO

No le he preguntado su opinión. *(Se sienta.)*

SUEGRA

Está bien.

(Pausa.)

MUJER
(A LEONARDO)

¿Qué te pasa? ¿Qué idea te bulle por dentro de la cabeza? No me dejes así, sin saber nada...

LEONARDO

Quita.

MUJER

No. Quiero que me mires y me lo digas.

LEONARDO

Déjame. *(Se levanta.)*

MUJER

¿Adónde vas, hijo?

LEONARDO
(*Agrio*)

¿Te puedes callar?

SUEGRA
(*Enérgica, a su hija*)

¡Cállate! (*Sale* LEONARDO.) ¡El niño! (*Entra y vuelve a salir con él en brazos.*)

(*La* MUJER *ha permanecido de pie, inmóvil.*)

Las patas heridas,
las crines heladas,
dentro de los ojos
un puñal de plata.
Bajaban al río.
La sangre corría
más fuerte que el agua.

MUJER
(*Volviéndose lentamente y como soñando*)
Duérmete, clavel,
que el caballo se pone a beber.

SUEGRA
Duérmete, rosal,
que el caballo se pone a llorar.

MUJER
Nana, niño, nana.

SUEGRA
¡Ay, caballo grande,
que no quiso el agua!

MUJER
(Dramática)

¡No vengas, no entres!
¡Vete a la montaña!
¡Ay dolor de nieve,
caballo del alba!

SUEGRA
(Llorando)

Mi niño se duerme...

MUJER
(Llorando y acercándose lentamente,

Mi niño descansa...

SUEGRA

Duérmete, clavel,
que el caballo no quiere beber.

MUJER
(Llorando y apoyándose sobre la mesa)

Duérmete, rosal,
que el caballo se pone a llorar.

Telón

CUADRO III

Interior de la cueva donde vive la NOVIA. Al fondo, una cruz de grandes flores rosa. Las puertas, redondas, con cortinajes de encaje y lazos rosa. Por las paredes, de material blanco y duro, abanicos redondos, jarros azules y pequeños espejos

CRIADA

Pasen... *(Muy afable, llena de hipocresía humilde. Entran el NOVIO y su MADRE. La MADRE viste de raso negro y lleva mantilla de encaje. El NOVIO, de pana negra con gran cadena de oro.)* ¿Se quieren sentar? Ahora vienen. *(Sale.)*

> *(Quedan MADRE e HIJO sentados, inmóviles como estatuas. Pausa larga.)*

MADRE

¿Traes el reloj?

NOVIO

Sí. *(Lo saca y lo mira.)*

MADRE

Tenemos que volver a tiempo. ¡Qué lejos vive esta gente!

NOVIO

Pero estas tierras son buenas.

MADRE

Buenas; pero demasiado solas. Cuatro horas de camino y ni una casa ni un árbol.

NOVIO

Estos son los secanos.

MADRE

Tu padre los hubiera cubierto de árboles.

NOVIO

¿Sin agua?

MADRE

Ya la hubiera buscado. Los tres años que estuvo casado conmigo, plantó diez cerezos. *(Haciendo memoria.)* Los tres nogales del molino, toda una viña y una planta que se llama Júpiter, que da flores encarnadas, y se secó.   *(Pausa.)*

NOVIO

(Por la NOVIA*)*

Debe estar vistiéndose.

> *(Entra el* PADRE DE LA NOVIA. *Es anciano, con el cabello blanco, reluciente. Lleva la cabeza inclinada. La* MADRE *y el* NOVIO *se levantan y se dan las manos en silencio.)*

PADRE

¿Mucho tiempo de viaje?

MADRE

Cuatro horas. *(Se sientan.)*

PADRE

Habéis venido por el camino más largo.

MADRE

Yo estoy ya vieja para andar por las terreras del río.

NOVIO

Se marea.

(Pausa.)

PADRE

Buena cosecha de esparto.

NOVIO

Buena de verdad.

PADRE

En mi tiempo, ni esparto daba esta tierra. Ha sido necesario castigarla y hasta llorarla, para que nos dé algo provechoso.

MADRE

Pero ahora da. No te quejes. Yo no vengo a pedirte nada.

PADRE
Sonriendo)

Tú eres más rica que yo. Las viñas valen un capital. Cada pámpano una moneda de plata. Lo que siento es que las tierras..., ¿entiendes?..., estén separadas. A mí me gusta todo junto. Una espina tengo en el corazón, y es la huertecilla esa metida entre mis tierras, que no me quieren vender por todo el oro del mundo.

NOVIO

Eso pasa siempre.

PADRE

Si pudiéramos con veinte pares de bueyes traer tus viñas aquí y ponerlas en la ladera. ¡Qué alegría!...

MADRE

¿Para qué?

PADRE

Lo mío es de ella y lo tuyo de él. Por eso. Para verlo todo junto, ¡que junto es una hermosura!

NOVIO

Y sería menos trabajo.

MADRE

Cuando yo me muera, vendéis aquello y compráis aquí al lado.

PADRE

Vender, ¡vender! ¡Bah!; comprar, hija, comprarlo todo. Si yo hubiera tenido hijos hubiera comprado todo este monte hasta la parte del arroyo. Porque no es buena tierra; pero con brazos se la hace buena, y como no pasa gente no te roban los frutos y puedes dormir tranquilo.

(Pausa.)

MADRE

Tú sabes a lo que vengo.

PADRE

Sí.

MADRE

¿Y qué?

PADRE

Me parece bien. Ellos lo han hablado.

MADRE

Mi hijo tiene y puede.

PADRE

Mi hija también.

MADRE

Mi hijo es hermoso. No ha conocido mujer. La honra más limpia que una sábana puesta al sol.

PADRE

Qué te digo de la mía. Hace las migas a las tres, cuando el lucero. No habla nunca; suave como la lana, borda toda clase de bordados y puede cortar una maroma con los dientes.

MADRE

Dios bendiga su casa.

PADRE

Que Dios la bendiga.

(Aparece la CRIADA *con dos bandejas. Una con copas y la otra con dulces.)*

MADRE
(*Al* HIJO)

¿Cuándo queréis la boda?

NOVIO

El jueves próximo.

PADRE

Día en que ella cumple veintidós años justos.

MADRE

¡Veintidós años! Esa edad tendría mi hijo mayor si viviera. Que viviría caliente y macho como era, si los hombres no hubieran inventado las navajas.

PADRE

En eso no hay que pensar.

MADRE

Cada minuto. Métete la mano en el pecho.

PADRE

Entonces el jueves. ¿No es así?

NOVIO

Así es.

PADRE

Los novios y nosotros iremos en coche hasta la iglesia, que está muy lejos, y el acompañamiento en los carros y en las caballerías que traigan.

MADRE

Conformes.   (*Pasa la* CRIADA.)

PADRE

Dile que ya puede entrar. (*A la* MADRE.) Celebraré mucho que te guste.

(*Aparece la* NOVIA. *Trae las manos caídas en actitud modesta y la cabeza baja.*)

MADRE

Acércate. ¿Estás contenta?

NOVIA

Sí, señora.

PADRE

No debes estar seria. Al fin y al cabo ella va a ser tu madre.

NOVIA

Estoy contenta. Cuando he dado el sí es porque quiero darlo.

MADRE

Naturalmente. *(Le coge la barbilla.)* Mírame.

PADRE

Se parece en todo a mi mujer.

MADRE

¿Sí? ¡Qué hermoso mirar! ¿Tú sabes lo que es casarse, criatura?

NOVIA

(Seria)

Lo sé.

MADRE

Un hombre, unos hijos y una pared de dos varas de ancho para todo lo demás.

NOVIO

¿Es que hace falta otra cosa?

MADRE

No. Que vivan todos, ¡eso! ¡Que vivan!

NOVIA

Yo sabré cumplir.

MADRE

Aquí tienes unos regalos.

NOVIA

Gracias.

PADRE

¿No tomamos algo?

MADRE

Yo no quiero. (*Al* NOVIO.) ¿Y tú?

NOVIO

Tomaré. *(Toma un dulce. La* NOVIA *toma otro.)*

PADRE
(*Al* NOVIO)

¿Vino?

MADRE

No lo prueba.

PADRE

¡Mejor! *(Pausa. Todos están de pie.)*

NOVIO
A la NOVIA)

Mañana vendré.

NOVIA

¿A qué hora?

NOVIO

A las cinco.

NOVIA

Yo te espero.

NOVIO

Cuando me voy de tu lado siento un despego grande y así como un nudo en la garganta.

NOVIA

Cuando seas mi marido ya no lo tendrás.

NOVIO

Eso digo yo.

MADRE

Vamos. El sol no espera. (Al PADRE.) ¿Conformes en todo?

PADRE

Conformes.

MADRE
(A la CRIADA)

Adiós, mujer.

CRIADA

Vayan ustedes con Dios.

(La MADRE besa a la NOVIA y van saliendo en silencio.)

MADRE
(En la puerta)

Adiós, hija.

(La NOVIA contesta con la mano.)

PADRE

Yo salgo con vosotros.   (Salen.)

CRIADA

Que reviento por ver los regalos.

NOVIA
´Agria)

Quita.

CRIADA

¡Ay, niña, enséñamelos!

NOVIA

No quiero.

CRIADA

Siquiera las medias. Dicen que son todas caladas.
¡Mujer!

NOVIA

¡Ea, que no!

CRIADA

Por Dios. Está bien. Parece como si no tuvieras
ganas de casarte.

NOVIA
(Mordiéndose la mano con rabia)

¡Ay!

CRIADA

Niña, hija, ¿qué te pasa? ¿Sientes dejar tu vida de
reina? No pienses en cosas agrias. ¿Tienes motivo?
Ninguno. Vamos a ver los regalos. *(Coge la caja.)*

NOVIA
(Cogiéndola de las muñecas)

Suelta.

CRIADA

¡Ay, mujer!

NOVIA

Suelta he dicho.

CRIADA

Tienes más fuerza que un hombre.

NOVIA

¿No he hecho yo trabajos de hombre? ¡Ojalá fuera!

CRIADA

¡No hables así!

NOVIA

Calla he dicho. Hablemos de otro asunto.

(La luz va desapareciendo de la escena. Pausa larga.)

CRIADA

¿Sentiste anoche un caballo?

NOVIA

¿A qué hora?

CRIADA

A las tres.

NOVIA

Sería un caballo suelto de la manada.

CRIADA

No. Llevaba jinete.

NOVIA

¿Por qué lo sabes?

CRIADA

Porque lo vi. Estuvo parado en tu ventana. Me chocó mucho.

NOVIA

¿No sería mi novio? Algunas veces ha pasado a esas horas.

CRIADA

No.

NOVIA

Pero se consumió aquí.

CRIADA

El sino.

NOVIA

Como nos consumimos todas. Echan fuego las paredes. ¡Ay!, no tires demasiado.

CRIADA

Es para arreglarte mejor esta onda. Quiero que te caiga sobre la frente. (*La* NOVIA *se mira en el espejo.*) ¡Qué hermosa estás! ¡Ay! (*La besa apasionadamente.*)

NOVIA
(*Seria*)

Sigue peinándome.

CRIADA
(*Peinándola*)

¡Dichosa tú que vas a abrazar a un hombre, que vas a besar, que vas a sentir su peso!

NOVIA

alla.

CRIADA

lo mejor es cuando te despiertes y lo sientas al y que él te roza los hombros con su aliento, como na plumilla de ruiseñor.

NOVIA
(*Fuerte*)

quieres callar?

NOVIA

¿Tú le viste?

CRIADA

Sí.

NOVIA

¿Quién era?

CRIADA

Era Leonardo.

NOVIA
(*Fuerte*)

¡Mentira! ¡Mentira! ¿A qué viene aquí?

CRIADA

Vino.

NOVIA

¡Cállate! ¡Maldita sea tu lengua!

(*Se siente el ruido de un caballo.*)

CRIADA
(*En la ventana*)

Mira, asómate. ¿Era?

NOVIA

¡Era!

Telón rápido

CUADRO I

Zaguán de casa de la NOVIA. *Portón al fondo. Es de*
La NOVIA *sale con enaguas blancas encañonadas,*
encajes y puntas bordadas, y un corpiño blanco, con
al aire. La CRIADA, *lo mismo*

CRIADA

Aquí te acabaré de peinar.

NOVIA

No se puede estar ahí dentro, del calo

CRIADA

En estas tierras no refresca ni al

(Se sienta la NOVIA *en una*
en un espejito de mano. La

NOVIA

Mi madre era de un sitio donde
les. De tierra rica.

CRIADA

¡Así era ella de alegre!

lo

C

Y
lado
con u

¿Te

CRIADA

¡Pero, niña! Una boda, ¿qué es? Una boda es esto y nada más. ¿Son los dulces? ¿Son los ramos de flores? No. Es una cama relumbrante y un hombre y una mujer.

NOVIA

No se debe decir.

CRIADA

Eso es otra cosa. ¡Pero es bien alegre!

NOVIA

O bien amargo.

CRIADA

El azahar te lo voy a poner desde aquí hasta aquí, de modo que la corona luzca sobre el peinado. *(Le prueba un ramo de azahar.)*

NOVIA
(Se mira en el espejo)

Trae. *(Coge el azahar y lo mira y deja caer la cabeza abatida.)*

CRIADA

¿Qué es esto?

NOVIA

Déjame.

CRIADA

No son horas de ponerse triste. *(Animosa.)* Trae el azahar. *(La* NOVIA *tira el azahar.)* ¡Niña! ¿Qué castigo pides tirando al suelo la corona? ¡Levanta esa frente! ¿Es que no te quieres casar? Dilo. Todavía te puedes arrepentir. *(Se levanta.)*

NOVIA

Son nublos. Un mal aire en el centro, ¿quién no lo tiene?

CRIADA

Tú quieres a tu novio.

NOVIA

Lo quiero.

CRIADA

Sí, sí, estoy segura.

NOVIA

Pero este es un paso muy grande.

CRIADA

Hay que darlo.

NOVIA

Ya me he comprometido.

CRIADA

Te voy a poner la corona.

NOVIA
(Se sienta)

Date prisa, que ya deben ir llegando.

CRIADA

Ya llevarán lo menos dos horas de camino.

NOVIA

¿Cuánto hay de aquí a la iglesia?

NOVIA

¿Tú le viste?

CRIADA

Sí.

NOVIA

¿Quién era?

CRIADA

Era Leonardo.

NOVIA
(Fuerte)

¡Mentira! ¡Mentira! ¿A qué viene aquí?

CRIADA

Vino.

NOVIA

¡Cállate! ¡Maldita sea tu lengua!

(Se siente el ruido de un caballo.)

CRIADA
(En la ventana)

Mira, asómate. ¿Era?

NOVIA

¡Era!

Telón rápido

ACTO SEGUNDO

CUADRO I

Zaguán de casa de la NOVIA. *Portón al fondo. Es de noche.
La* NOVIA *sale con enaguas blancas encañonadas, llenas de
encajes y puntas bordadas, y un corpiño blanco, con los brazos
al aire. La* CRIADA, *lo mismo*

CRIADA

Aquí te acabaré de peinar.

NOVIA

No se puede estar ahí dentro, del calor.

CRIADA

En estas tierras no refresca ni al amanecer.

(Se sienta la NOVIA *en una silla baja y se mira
en un espejito de mano. La* CRIADA *la peina.)*

NOVIA

Mi madre era de un sitio donde había muchos árboles. De tierra rica.

CRIADA

¡Así era ella de alegre!

NOVIA

Pero se consumió aquí.

CRIADA

El sino.

NOVIA

Como nos consumimos todas. Echan fuego las paredes. ¡Ay!, no tires demasiado.

CRIADA

Es para arreglarte mejor esta onda. Quiero que te caiga sobre la frente. *(La* NOVIA *se mira en el espejo.)* ¡Qué hermosa estás! ¡Ay! *(La besa apasionadamente.)*

NOVIA
(Seria)

Sigue peinándome.

CRIADA
(Peinándola)

¡Dichosa tú que vas a abrazar a un hombre, que lo vas a besar, que vas a sentir su peso!

NOVIA

Calla.

CRIADA

Y lo mejor es cuando te despiertes y lo sientas al lado y que él te roza los hombros con su aliento, como con una plumilla de ruiseñor.

NOVIA
(Fuerte)

¿Te quieres callar?

CRIADA

¡Pero, niña! Una boda, ¿qué es? Una boda es esto y nada más. ¿Son los dulces? ¿Son los ramos de flores? No. Es una cama relumbrante y un hombre y una mujer.

NOVIA

No se debe decir.

CRIADA

Eso es otra cosa. ¡Pero es bien alegre!

NOVIA

O bien amargo.

CRIADA

El azahar te lo voy a poner desde aquí hasta aquí, de modo que la corona luzca sobre el peinado. *(Le prueba un ramo de azahar.)*

NOVIA
(Se mira en el espejo)

Trae. *(Coge el azahar y lo mira y deja caer la cabeza abatida.)*

CRIADA

¿Qué es esto?

NOVIA

Déjame.

CRIADA

No son horas de ponerse triste. *(Animosa.)* Trae el azahar. *(La* NOVIA *tira el azahar.)* ¡Niña! ¿Qué castigo pides tirando al suelo la corona? ¡Levanta esa frente! ¿Es que no te quieres casar? Dilo. Todavía te puedes arrepentir. *(Se levanta.)*

NOVIA

Son nublos. Un mal aire en el centro, ¿quién no lo
tiene?

CRIADA

Tú quieres a tu novio.

NOVIA

Lo quiero.

CRIADA

Sí, sí, estoy segura.

NOVIA

Pero este es un paso muy grande.

CRIADA

Hay que darlo.

NOVIA

Ya me he comprometido.

CRIADA

Te voy a poner la corona.

NOVIA
(Se sienta)

Date prisa, que ya deben ir llegando.

CRIADA

Ya llevarán lo menos dos horas de camino.

NOVIA

¿Cuánto hay de aquí a la iglesia?

CRIADA

Cinco leguas por el arroyo, que por el camino hay el doble.

(La NOVIA se levanta y la CRIADA se entusiasma al verla.)

> Despierte la novia
> la mañana de la boda.
> ¡Que los ríos del mundo
> lleven tu corona!

NOVIA

(Sonriente)

·Vamos.

CRIADA

(La besa entusiasmada y baila alrededor)

> Que despierte
> con el ramo verde
> del laurel florido.
> ¡Que despierte
> por el tronco y la rama
> de los laureles!

(Se oyen unos aldabonazos.)

NOVIA

¡Abre! Deben ser los primeros convidados. *(Entra.)*

(La CRIADA abre sorprendida.)

CRIADA

¿Tú?

LEONARDO

Yo. Buenos días.

CRIADA

¡El primero!

LEONARDO

¿No me han convidado?

CRIADA

Sí.

LEONARDO

Por eso vengo.

CRIADA

¿Y tu mujer?

LEONARDO

Yo vine a caballo. Ella se acerca por el camino.

CRIADA

¿No te has encontrado a nadie?

LEONARDO

Los pasé con el caballo.

CRIADA

Vas a matar al animal con tanta carrera.

LEONARDO

¡Cuando se muera, muerto está!

(Pausa.)

CRIADA

Siéntate. Todavía no se ha levantado nadie.

LEONARDO

¿Y la novia?

CRIADA

Ahora mismo la voy a vestir.

LEONARDO

¡La novia! ¡Estará contenta!

CRIADA
(Variando de conversación)

¿Y el niño?

LEONARDO

¿Cuál?

CRIADA

Tu hijo.

LEONARDO
(Recordando como soñoliento)

¡Ah!

CRIADA

¿Lo traen?

LEONARDO

No.
(Pausa. Voces cantando muy lejos.)

VOCES

¡Despierte la novia
la mañana de la boda!

LEONARDO

Despierte la novia
la mañana de la boda.

CRIADA

Es la gente. Vienen lejos todavía.

LEONARDO
(Levantándose)

La novia llevará una corona grande, ¿no? No debía ser tan grande. Un poco más pequeña le sentaría mejor. ¿Y trajo ya el novio el azahar que se tiene que poner en el pecho?

NOVIA
(Apareciendo todavía en enaguas y con la corona de azahar puesta)

Lo trajo.

CRIADA
(Fuerte)

No salgas así.

NOVIA

¿Qué más da? *(Seria.)* ¿Por qué preguntas si trajeron el azahar? ¿Llevas intención?

LEONARDO

Ninguna. ¿Qué intención iba a tener? *(Acercándose.)* Tú, que me conoces, sabes que no la llevo. Dímelo. ¿Quién he sido yo para ti? Abre y refresca tu recuerdo. Pero dos bueyes y una mala choza son casi nada. Esa es la espina.

NOVIA

¿A qué vienes?

LEONARDO

A ver tu casamiento.

NOVIA

¡También yo vi el tuyo!

LEONARDO

Amarrado por ti, hecho con tus dos manos. A mí me pueden matar, pero no me pueden escupir. Y la plata, que brilla tanto, escupe algunas veces.

NOVIA

¡Mentira!

LEONARDO

No quiero hablar, porque soy hombre de sangre, y no quiero que todos estos cerros oigan mis voces.

NOVIA

Las mías serían más fuertes.

CRIADA

Estas palabras no pueden seguir. Tú no tienes que hablar de lo pasado. *(La* CRIADA *mira a las puertas presa de inquietud.)*

NOVIA

Tienes razón. Yo no debo hablarte siquiera. Pero se me calienta el alma de que vengas a verme y atisbar mi boda y preguntes con intención por el azahar. Vete y espera a tu mujer en la puerta.

LEONARDO

¿Es que tú y yo no podemos hablar?

CRIADA
(Con rabia)

No; no podéis hablar.

LEONARDO

Después de mi casamiento he pensado noche y día de quién era la culpa, y cada vez que pienso sale una culpa nueva que se come a la otra; pero ¡siempre hay culpa!

NOVIA

Un hombre con su caballo sabe mucho y puede mucho para poder estrujar a una muchacha metida en un desierto. Pero yo tengo orgullo. Por eso me caso. Y me encerraré con mi marido, a quien tengo que querer por encima de todo.

LEONARDO

El orgullo no te servirá de nada. *(Se acerca.)*

NOVIA

¡No te acerques!

LEONARDO

Callar y quemarse es el castigo más grande que nos podemos echar encima. ¿De qué me sirvió a mí el orgullo y el no mirarte y el dejarte despierta noches y noches? ¡De nada! ¡Sirvió para echarme fuego encima! Porque tú crees que el tiempo cura y que las paredes tapan, y no es verdad, no es verdad. ¡Cuando las cosas llegan a los centros, no hay quien las arranque!

NOVIA
(Temblando)

No puedo oírte. No puedo oír tu voz. Es como si me bebiera una botella de anís y me durmiera en una colcha de rosas. Y me arrastra y sé que me ahogo, pero voy detrás.

CRIADA
(Cogiendo a LEONARDO *por las solapas)*

¡Debes irte ahora mismo!

LEONARDO

Es la última vez que voy a hablar con ella. No temas nada.

NOVIA

Y sé que estoy loca y sé que tengo el pecho podrido de aguantar, y aquí estoy quieta por oírlo, por verlo menear los brazos.

LEONARDO

No me quedo tranquilo si no te digo estas cosas. Yo me casé. Cásate tú ahora.

CRIADA
(A LEONARDO*)*

¡Y se casa!

VOCES
(Cantando más cerca)
Despierte la novia
la mañana de la boda.

NOVIA

¡Despierte la novia!   *(Sale corriendo a su cuarto.)*

CRIADA

Ya está aquí la gente. *(A* LEONARDO.*)* No te vuelvas a acercar a ella.

LEONARDO

Descuida. *(Sale por la izquierda.)*

(Empieza a clarear el día.)

MUCHACHA 1.ª
(Entrando)

Despierte la novia
la mañana de la boda;
ruede la ronda
y en cada balcón una corona.

VOCES

¡Despierte la novia!

CRIADA
(Moviendo algazara)

Que despierte
con el ramo verde
del amor florido.
¡Que despierte
por el tronco y la rama
de los laureles!

MUCHACHA 2.ª
(Entrando)

Que despierte
con el largo pelo,
camisa de nieve,
botas de charol y plata
y jazmines en la frente.

CRIADA

¡Ay pastora,
que la luna asoma!

MUCHACHA 1.ª

¡Ay galán,
deja tu sombrero por el olivar!

Mozo 1.º
(Entrando con el sombrero en alto)

Despierte la novia,
que por los campos viene
rondando la boda,
con bandejas de dalias
y panes de gloria.

Voces

¡Despierte la novia!

Muchacha 2.ª

La novia
se ha puesto su blanca corona,
y el novio
se la prende con lazos de oro.

Criada

Por el toronjil
la novia no puede dormir.

Muchacha 3.ª
(Entrando)

Por el naranjel
el novio le ofrece cuchara y mantel.

(Entran tres Convidados.)

Mozo 1.º

¡Despierta, paloma!
El alba despeja
campanas de sombra.

CONVIDADO

La novia, la blanca novia,
hoy doncella,
mañana señora.

MUCHACHA 1.ª

Baja, morena,
arrastrando tu cola de seda.

CONVIDADO

Baja, morenita,
que llueve rocío la mañana fría.

MOZO 1.º

Despertad, señora, despertad,
porque viene el aire lloviendo azahar.

CRIADA

Un árbol quiero bordarle
lleno de cintas granates
y en cada cinta un amor
con vivas alrededor.

VOCES

Despierte la novia.

MOZO 1.º

¡La mañana de la boda!

CONVIDADO

La mañana de la boda
qué galana vas a estar;

pareces, flor de los montes,
la mujer de un capitán.

PADRE
(Entrando)

La mujer de un capitán
se lleva el novio.
¡Ya viene con sus bueyes por el tesoro!

MUCHACHA 3.ª

El novio
parece la flor del oro.
Cuando camina,
a sus plantas se agrupan las clavellinas.

CRIADA

¡Ay mi niña dichosa!

MOZO 2.º

Que despierte la novia.

CRIADA

¡Ay mi galana!

MUCHACHA 1.ª

La boda está llamando
por las ventanas.

MUCHACHA 2.ª

Que salga la novia.

MUCHACHA 1.ª

¡Que salga, que salga!

CRIADA

¡Que toquen y repiquen
las campanas!

MOZO 1.º

¡Que viene aquí! ¡Que sale ya!

CRIADA

¡Como un toro, la boda
levantándose está!

(Aparece la NOVIA. Lleva un traje negro mil novecientos, con caderas y larga cola rodeada de gasas plisadas y encajes duros. Sobre el peinado de visera lleva la corona de azahar. Suenan las guitarras. Las MUCHACHAS besan a la NOVIA)

MUCHACHA 3.ª

¿Qué esencia te echaste en el pelo?

NOVIA
(Riendo)

Ninguna.

MUCHACHA 2.ª
(Mirando el traje)

La tela es de lo que no hay.

MOZO 1.º

¡Aquí está el novio!

NOVIO

¡Salud!

MUCHACHA 1.ª
(Poniéndole una flor en la oreja)

El novio
parece la flor del oro.

MUCHACHA 2.ª

¡Aires de sosiego
le manan los ojos!

(*El* NOVIO *se dirige al lado de la* NOVIA.)

NOVIA

¿Por qué te pusiste esos zapatos?

NOVIO

Son más alegres que los negros.

MUJER DE LEONARDO
(*Entrando y besando a la* NOVIA)

¡Salud!

(*Hablan todas con algazara.*)

LEONARDO
(*Entrando como quien cumple un deber*)

La mañana de casada
la corona te ponemos.

MUJER

¡Para que el campo se alegre
con el agua de tu pelo!

MADRE
(*Al* PADRE)

¿También están esos aquí?

PADRE

Son familia. ¡Hoy es día de perdones!

MADRE

Me aguanto, pero no perdono.

NOVIO

¡Con la corona da alegría mirarte!

NOVIA

¡Vámonos pronto a la iglesia!

NOVIO

¿Tienes prisa?

NOVIA

Sí. Estoy deseando ser tu mujer y quedarme sola contigo, y no oír más voz que la tuya.

NOVIO

¡Eso quiero yo!

NOVIA

Y no ver más que tus ojos. Y que me abrazaras tan fuerte, que aunque me llamara mi madre, que está muerta, no me pudiera despegar de ti.

NOVIO

Yo tengo fuerza en los brazos. Te voy a abrazar cuarenta años seguidos.

NOVIA

(Dramática, cogiéndole del brazo)

¡Siempre!

PADRE

¡Vamos pronto! ¡A coger las caballerías y los carros! Que ya ha salido el sol.

MADRE

¡Que llevéis cuidado! No sea que tengamos mala hora.

(Se abre el gran portón del fondo. Empiezan a salir.)

CRIADA
(Llorando)

Al salir de tu casa,
blanca doncella,
acuérdate que sales
como una estrella...

MUCHACHA 1.ª

Limpia de cuerpo y ropa
al salir de tu casa para la boda.

'Van saliendo.)

MUCHACHA 2.ª

¡Ya sales de tu casa
para la iglesia!

CRIADA

¡El aire pone flores
por las arenas!

MUCHACHA 3.ª

¡Ay la blanca niña!

CRIADA

Aire oscuro el encaje
de su mantilla.

(Salen. Se oyen guitarras, palillos y panderetas. Quedan solos LEONARDO y su MUJER.)

MUJER

Vamos.

LEONARDO

¿Adónde?

MUJER

A la iglesia. Pero no vas en el caballo. Vienes conmigo.

LEONARDO

¿En el carro?

MUJER

¿Hay otra cosa?

LEONARDO

Yo no soy hombre para ir en carro.

MUJER

Y yo no soy mujer para ir sin su marido a un casamiento. ¡Que no puedo más!

LEONARDO

¡Ni yo tampoco!

MUJER

¿Por qué me miras así? Tienes una espina en cada ojo.

LEONARDO

¡Vamos!

MUJER

No sé lo que pasa. Pero pienso y no quiero pensar. Una cosa sé. Yo ya estoy despachada. Pero tengo un hijo. Y otro que viene. Vamos andando. El mismo sino tuvo mi madre. Pero de aquí no me muevo.

(Voces fuera.)

VOCES

¡Al salir de tu casa
para la iglesia,
acuérdate que sales
como una estrella!

MUJER
(Llorando)

¡Acuérdate que sales
como una estrella!
Así salí yo de mi casa también. Que me cabía todo
el campo en la boca.

LEONARDO
(Levantándose)

Vamos.

MUJER

¡Pero conmigo!

LEONARDO

Sí. *(Pausa.)* ¡Echa a andar! *(Salen.)*

VOCES

Al salir de tu casa
para la iglesia,
acuérdate que sales
como una estrella.

Telón lento

CUADRO II

Exterior de la cueva de la NOVIA. *Entonación en blancos grises y azules fríos. Grandes chumberas. Tonos sombríos y plateados. Panorama de mesetas color barquillo, todo endurecido como paisaje de cerámica popular*

CRIADA
(Arreglando en una mesa copas y bandejas)

Giraba,
giraba la rueda
y el agua pasaba,
porque llega la boda,
que se aparten las ramas
y la luna se adorne
por su blanca baranda.
¡Pon los manteles!   *(En voz alta.)*
                            'En voz patética.)
Cantaban,
cantaban los novios
y el agua pasaba,
porque llega la boda,
que relumbre la escarcha
y se llenen de miel
las almendras amargas.

¡Prepara el vino!　　　　*(En voz alta.)*

Galana,　　　　　　　　*(En voz poética.)*
galana de la tierra,
mira cómo el agua pasa.
Porque llega tu boda
recógete las faldas
y bajo el ala del novio
nunca salgas de tu casa.
Porque el novio es un palomo
con todo el pecho de brasa
y espera el campo el rumor
de la sangre derramada.
Giraba,
giraba la rueda
y el agua pasaba.
¡Porque llega tu boda,
deja que relumbre el agua!

MADRE
(Entrando)

¡Por fin!

PADRE

¿Somos los primeros?

CRIADA

No. Hace rato llegó Leonardo con su mujer. Corrieron como demonios. La mujer llegó muerta de miedo. Hicieron el camino como si hubieran venido a caballo.

PADRE
Ese busca la desgracia. No tiene buena sangre.

MADRE

¿Qué sangre va a tener? La de toda su familia.
Mana de su bisabuelo, que empezó matando, y sigue
en toda la mala ralea, manejadores de cuchillos y
gente de falsa sonrisa.

PADRE

¡Vamos a dejarlo!

CRIADA

¿Cómo lo va a dejar?

MADRE

Me duele hasta la punta de las venas. En la frente
de todos ellos yo no veo más que la mano con que
mataron a lo que era mío. ¿Tú me ves a mí? ¿No te
parezco loca? Pues es loca de no haber gritado todo
lo que mi pecho necesita. Tengo en mi pecho un grito
siempre puesto de pie a quien tengo que castigar y
meter entre los mantos. Pero me llevan a los muertos
y hay que callar. Luego la gente critica. *(Se quita el
manto.)*

PADRE

Hoy no es día de que te acuerdes de esas cosas.

MADRE

Cuando sale la conversación, tengo que hablar Y
hoy más. Porque hoy me quedo sola en mi casa.

PADRE

En espera de estar acompañada.

MADRE

Esa es mi ilusión: los nietos. *(Se sientan.)*

PADRE

Yo quiero que tengan muchos. Esta tierra necesita brazos que no sean pagados. Hay que sostener una batalla con las malas hierbas, con los cardos, con los pedruscos que salen no se sabe dónde. Y estos brazos tienen que ser de los dueños, que castiguen y que dominen, que hagan brotar las simientes. Se necesitan muchos hijos.

MADRE

¡Y alguna hija! ¡Los varones son del viento! Tienen por fuerza que manejar armas. Las niñas no salen jamás a la calle.

PADRE
(Alegre)

Yo creo que tendrán de todo.

MADRE

Mi hijo la cubrirá bien. Es de buena simiente. Su padre pudo haber tenido conmigo muchos hijos.

PADRE

Lo que yo quisiera es que esto fuera cosa de un día. Que en seguida tuvieran dos o tres hombres.

MADRE

Pero no es así. Se tarda mucho. Por eso es tan terrible ver la sangre de una derramada por el suelo. Una fuente que corre un minuto y a nosotros nos ha costado años. Cuando yo llegué a ver a mi hijo, estaba tumbado en mitad de la calle. Me mojé las manos de sangre y me las lamí con la lengua. Porque era mía.

Tú no sabes lo que es eso. En una custodia de cristal y topacios pondría yo la tierra empapada por ella.

PADRE

Ahora tienes que esperar. Mi hija es ancha y tu hijo es fuerte.

MADRE

Así espero. *(Se levantan.)*

PADRE

Prepara las bandejas de trigo.

CRIADA

Están preparadas.

MUJER DE LEONARDO
(Entrando)

¡Que sea para bien!

MADRE

Gracias.

LEONARDO

¿Va a haber fiesta?

PADRE

Poca. La gente no puede entretenerse.

CRIADA

¡Ya están aquí!

> *(Van entrando* INVITADOS *en alegres grupos. Entran los* NOVIOS *cogidos del brazo. Sale* LEONARDO.*)*

NOVIO

En ninguna boda se vio tanta gente.

NOVIA
(Sombría)

En ninguna.

PADRE

Fue lucida.

MADRE

Ramas enteras de familias han venido.

NOVIO

Gente que no salía de su casa.

MADRE

Tu padre sembró mucho y ahora lo recoges tú

NOVIO

Hubo primos míos que yo ya no conocía.

MADRE

Toda la gente de la costa.

NOVIO
(Alegre)

Se espantaban de los caballos.

(Hablan.)

MADRE
(A la NOVIA*)*

¿Qué piensas?

NOVIA

No pienso en nada.

MADRE

Las bendiciones pesan mucho.

(Se oyen guitarras.)

NOVIA

Como el plomo.

MADRE
(Fuerte)

Pero no han de pesar. Ligera como paloma debes ser.

NOVIA

¿Se queda usted aquí esta noche?

MADRE

No. Mi casa está sola.

NOVIA

¡Debía usted quedarse!

PADRE
(A la MADRE*)*

Mira el baile que tienen formado. Bailes de allá de la orilla del mar.

> *(Sale* LEONARDO *y se sienta. Su* MUJER, *detrás de él, en actitud rígida.)*

MADRE

Son los primos de mi marido. Duros como piedras para la danza.

PADRE

Me alegra el verlos. ¡Qué cambio para esta casa! *(Se va.)*

NOVIO
(A la NOVIA*)*

¿Te gustó el azahar?

NOVIA
(Mirándole fija)

Sí.

NOVIO

Es todo de cera. Dura siempre. Me hubiera gustado que llevaras en todo el vestido.

NOVIA

No hace falta.

(Mutis LEONARDO *por la derecha.)*

MUCHACHA 1.ª

Vamos a quitarle los alfileres.

NOVIA
(Al NOVIO)

Ahora vuelvo.

MUJER

¡Que seas feliz con mi prima!

NOVIO

Tengo seguridad.

MUJER

Aquí los dos; sin salir nunca y a levantar la casa. ¡Ojalá yo viviera también así de lejos!

NOVIO

¿Por qué no compráis tierras? El monte es barato y los hijos se crían mejor.

MUJER

No tenemos dinero. ¡Y con el camino que llevamos!

NOVIO

Tu marido es un buen trabajador.

MUJER

Sí, pero le gusta volar demasiado. Ir de una cosa a otra. No es hombre tranquilo.

CRIADA

¿No tomáis nada? Te voy a envolver unos roscos de vino para tu madre, que a ella le gustan mucho.

NOVIO

Ponle tres docenas.

MUJER

No, no. Con media tiene bastante.

NOVIO

Un día es un día.

MUJER
(A la CRIADA)

¿Y Leonardo?

CRIADA

No lo vi.

NOVIO

Debe estar con la gente.

MUJER

¡Voy a ver! (Se va.)

CRIADA

Aquello está hermoso.

NOVIO

¿Y tú no bailas?

CRIADA

No hay quien me saque.

(Pasan al fondo dos MUCHACHAS; durante todo este acto, el fondo será un animado cruce de figuras.)

NOVIO
(Alegre)

Eso se llama no entender. Las viejas frescas como tú bailan mejor que las jóvenes.

CRIADA

Pero ¿vas a echarme requiebros, niño? ¡Qué familia la tuya! ¡Machos entre los machos! Siendo niña vi la boda de tu abuelo. ¡Qué figura! Parecía como si se casara un monte.

NOVIO

Yo tengo menos estatura.

CRIADA

Pero el mismo brillo en los ojos. ¿Y la niña?

NOVIO

Quitándose la toca.

CRIADA

¡Ah! Mira. Para la medianoche, como no dormiréis, os he preparado jamón y unas copas grandes de vino antiguo. En la parte baja de la alacena. Por si lo necesitáis.

NOVIO
(Sonriente)

No como a medianoche.

CRIADA
(Con malicia)

Si tú no, la novia. *(Se va.)*

MOZO 1.º
(Entrando)

¡Tienes que beber con nosotros!

NOVIO

Estoy esperando a la novia.

MOZO 2.º

¡Ya la tendrás en la madrugada!

MOZO 1.º

¡Que es cuando más gusta!

MOZO 2.º

Un momento.

NOVIO

Vamos.

(Salen. Se oye gran algazara. Sale la NOVIA. Por el lado opuesto salen dos MUCHACHAS corriendo a encontrarla.)

MUCHACHA 1.ª

¿A quién diste el primer alfiler, a mí o a esta?

NOVIA

No me acuerdo.

MUCHACHA 1.ª
A mí me lo diste aquí.

MUCHACHA 2.ª
A mí delante del altar.

NOVIA
(Inquieta y con una gran lucha interior)
No sé nada.

MUCHACHA 1.ª
Es que yo quisiera que tú...

NOVIA
(Interrumpiendo)
Ni me importa. Tengo mucho que pensar.

MUCHACHA 2.ª
Perdona.

(LEONARDO cruza el fondo.)

NOVIA
(Ve a LEONARDO)
Y estos momentos son agitados.

MUCHACHA 1.ª
¡Nosotras no sabemos nada!

NOVIA
Ya lo sabréis cuando os llegue la hora. Estos pasos son pasos que cuestan mucho.

MUCHACHA 1.ª
¿Te ha disgustado?

NOVIA

No. Perdonad vosotras.

MUCHACHA 2.ª

¿De qué? Pero los dos alfileres sirven para casarse,
¿verdad?

NOVIA

Los dos.

MUCHACHA 1.ª

Ahora, que una se casa antes que otra.

NOVIA

¿Tantas ganas tenéis?

MUCHACHA 2.ª
(Vergonzosa)

Sí.

NOVIA

¿Para qué?

MUCHACHA 1.ª

Pues... *(Abrazando a la segunda.)*

> *(Echan a correr las dos. Llega el NOVIO y, muy
> despacio, abraza a la NOVIA por detrás.)*

NOVIA
(Con gran sobresalto)

¡Quita!

NOVIO

¿Te asustas de mí?

NOVIA

¡Ay! ¿Eras tú?

NOVIO

¿Quién iba a ser? *(Pausa.)* Tu padre o yo.

NOVIA

¡Es verdad!

NOVIO

Ahora que tu padre te hubiera abrazado más blando.

NOVIA

(Sombría)

¡Claro!

NOVIO

Porque es viejo. *(La abraza fuertemente de un modo un poco brusco.)*

NOVIA

(Seca)

¡Déjame!

NOVIO

¿Por qué? *(La deja.)*

NOVIA

Pues... la gente. Pueden vernos.

(Vuelve a cruzar el fondo la CRIADA, *que no mira a los* NOVIOS.)*

NOVIO

¿Y qué? Ya es sagrado.

NOVIA

Sí, pero déjame... Luego.

Novio

¿Qué tienes? ¡Estás como asustada!

Novia

No tengo nada. No te vayas.

(*Sale la* Mujer *de* Leonardo.)

Mujer

No quiero interrumpir...

Novio

Dime.

Mujer

¿Pasó por aquí mi marido?

Novio

No.

Mujer

Es que no le encuentro y el caballo no está tampoco en el establo.

Novio
(Alegre)

Debe estar dándole una carrera.

(*Se va la* Mujer, *inquieta. Sale la* Criada.)

Criada

¿No andáis satisfechos de tanto saludo?

Novio

Ya estoy deseando que esto acabe. La novia está un poco cansada.

CRIADA

¿Qué es eso, niña?

NOVIA

¡Tengo como un golpe en las sienes!

CRIADA

Una novia de estos montes debe ser fuerte. (*Al* Novio.) Tú eres el único que la puedes curar, porque tuya es. (*Sale corriendo.*)

NOVIO
(*Abrazándola*)

Vamos un rato al baile. (*La besa.*)

NOVIA
(*Angustiada*)

No. Quisiera echarme en la cama un poco.

NOVIO

Yo te haré compañía.

NOVIA

¡Nunca! ¿Con toda la gente aquí? ¿Qué dirían? Déjame sosegar un momento.

NOVIO

¡Lo que quieras! ¡Pero no estés así por la noche!

NOVIA
(*En la puerta*)

A la noche estaré mejor.

NOVIO

¡Que es lo que yo quiero!

(*Aparece la* MADRE.)

MADRE

Hijo.

NOVIO

¿Dónde anda usted?

MADRE

En todo ese ruido. ¿Estás contento?

NOVIO

Sí.

MADRE

¿Y tu mujer?

NOVIO

Descansa un poco. ¡Mal día para las novias!

MADRE

¿Mal día? El único bueno. Para mí fue como una herencia. (*Entra la* CRIADA *y se dirige al cuarto de la* NOVIA.) Es la roturación de las tierras, la plantación de árboles nuevos.

NOVIO

¿Usted se va a ir?

MADRE

Sí. Yo tengo que estar en mi casa.

NOVIO

Sola.

MADRE

Sola, no. Que tengo la cabeza llena de cosas y de hombres y de luchas.

NOVIO

Pero luchas que ya no son luchas.

(Sale la CRIADA *rápidamente; desaparece corriendo por el fondo.)*

MADRE

Mientras una vive, lucha.

NOVIO

¡Siempre la obedezco!

MADRE

Con tu mujer procura estar cariñoso, y si la notas infautada o arisca, hazle una caricia que le produzca un poco de daño, un abrazo fuerte, un mordisco y luego un beso suave. Que ella no pueda disgustarse, pero que sienta que tú eres el macho, el amo, el que mandas. Así aprendí de tu padre. Y como no lo tienes, tengo que ser yo la que te enseñe estas fortalezas.

NOVIO

Yo siempre haré lo que usted mande.

PADRE
(Entrando)

¿Y mi hija?

NOVIO

Está dentro.

MUCHACHA 1.ª

¡Vengan los novios, que vamos a bailar la rueda!

MOZO 1.º
(Al NOVIO)

Tú la vas a dirigir.

PADRE
(Saliendo)

¡Aquí no está!

NOVIO

¿No?

PADRE

Debe haber subido a la baranda.

NOVIO

¡Voy a ver! (Entra.)

(Se oye algazara y guitarras.)

MUCHACHA 1.ª

¡Ya ha empezado! (Sale.)

NOVIO
(Saliendo)

No está.

MADRE
(Inquieta)

¿No?

PADRE

¿Y adónde puede haber ido?

CRIADA
(Entrando)

Y la niña, ¿dónde está?

MADRE
(Seria)

No lo sabemos.

(Sale el NOVIO. *Entran tres* INVITADOS.)

PADRE
(Dramático)

Pero ¿no está en el baile?

CRIADA

En el baile no está.

PADRE
(Con arranque)

Hay mucha gente. ¡Mirad!

CRIADA

¡Ya he mirado!

PADRE
(Trágico)

¿Pues dónde está?

NOVIO
(Entrando)

Nada. En ningún sitio.

MADRE
(Al PADRE*)*

¿Qué es esto? ¿Dónde está tu hija?

(Entra la MUJER *de* LEONARDO.)

MUJER

¡Han huido! ¡Han huido! Ella y Leonardo. En el caballo. Van abrazados, como una exhalación.

PADRE

¡No es verdad! ¡Mi hija, no!

MADRE

¡Tu hija, sí! Planta de mala madre, y él, él también, él. Pero ¡ya es la mujer de mi hijo!

NOVIO
(Entrando)

¡Vamos detrás! ¿Quién tiene un caballo?

MADRE

¿Quién tiene un caballo ahora mismo, quién tiene un caballo? Que le daré todo lo que tengo, mis ojos y hasta mi lengua...

VOZ

Aquí hay uno.

MADRE
(Al HIJO)

¡Anda! ¡Detrás! *(Salen con dos mozos.)* No. No vayas. Esa gente mata pronto y bien...; pero sí, corre, y yo detrás!

PADRE

No será ella. Quizá se haya tirado al aljibe.

MADRE

Al agua se tiran las honradas, las limpias; ¡esa, no! Pero ya es mujer de mi hijo. Dos bandos. Aquí hay ya dos bandos. *(Entran todos.)* Mi familia y la tuya. Salid todos de aquí. Limpiarse el polvo de los zapatos. Vamos a ayudar a mi hijo. *(La gente se separa en dos grupos.)* Porque tiene gente; que son: sus primos del mar y todos los que llegan de tierra adentro. ¡Fuera de aquí! Por todos los caminos. Ha llegado otra vez la hora de la sangre. Dos bandos. Tú con el tuyo y yo con el mío. ¡Atrás! ¡Atrás!

Telón

A C T O   T E R C E R O

CUADRO I

Bosque. Es de noche. Grandes troncos húmedos. Ambiente oscuro. Se oyen dos violines. Salen tres LEÑADORES

LEÑADOR 1.º

¿Y los han encontrado?

LEÑADOR 2.º

No. Pero los buscan por todas partes.

LEÑADOR 3.º

Ya darán con ellos.

LEÑADOR 2.º

¡Chissss!

LEÑADOR 3.º

¿Qué?

LEÑADOR 2.º

Parece que se acercan por todos los caminos a la vez.

LEÑADOR 1.º

Cuando salga la luna los verán.

LEÑADOR 2.º

Debían dejarlos.

LEÑADOR 1.º

El mundo es grande. Todos pueden vivir en él.

LEÑADOR 3.º

Pero los matarán.

LEÑADOR 2.º

Hay que seguir la inclinación: han hecho bien en huir.

LEÑADOR 1.º

Se estaban engañando uno a otro y al fin la sangre pudo más.

LEÑADOR 3.º

¡La sangre!

LEÑADOR 1.º

Hay que seguir el camino de la sangre.

LEÑADOR 2.º

Pero sangre que ve la luz se la bebe la tierra.

LEÑADOR 1.º

¿Y qué? Vale más ser muerto desangrado que vivo con ella podrida.

LEÑADOR 3.º

Callar.

LEÑADOR 1.º

¿Qué? ¿Oyes algo?

LEÑADOR 3.º

Oigo los grillos, las ranas, el acecho de la noche.

LEÑADOR 1.º

Pero el caballo no se siente.

LEÑADOR 3.º

No.

LEÑADOR 1.º

Ahora la estará queriendo.

LEÑADOR 2.º

El cuerpo de ella era para él y el cuerpo de él para ella.

LEÑADOR 3.º

Los buscan y los matarán.

LEÑADOR 1.º

Pero ya habrán mezclado sus sangres y serán como dos cántaros vacíos, como dos arroyos secos.

LEÑADOR 2.º

Hay muchas nubes y será fácil que la luna no salga.

LEÑADOR 3.º

El novio los encontrará con luna o sin luna. Yo lo vi salir. Como una estrella furiosa. La cara color ceniza. Expresaba el sino de su casta.

LEÑADOR 1.º

Su casta de muertos en mitad de la calle.

LEÑADOR 2.º

¡Eso es!

LEÑADOR 3.º
¿Crees que ellos lograrán romper el cerco?

LEÑADOR 2.º
Es difícil. Hay cuchillos y escopetas a diez leguas
a la redonda.

LEÑADOR 3.º
Él lleva buen caballo.

LEÑADOR 2.º
Pero lleva una mujer.

LEÑADOR 1.º
Ya estamos cerca.

LEÑADOR 2.º
Un árbol de cuarenta ramas. Lo cortaremos pronto.

LEÑADOR 3.º
Ahora sale la luna. Vamos a darnos prisa.

(Por la izquierda surge una claridad.)

LEÑADOR 1.º
¡Ay luna que sales!
Luna de las hojas grandes.

LEÑADOR 2.º
¡Llena de jazmines la sangre!

LEÑADOR 1.º
¡Ay luna sola!
¡Luna de las verdes hojas!

LEÑADOR 2.º

Plata en la cara de la novia.

LEÑADOR 3.º

¡Ay luna mala!
Deja para el amor la oscura rama.

LEÑADOR 1.º

¡Ay triste luna!
¡Deja para el amor la rama oscura!

> *(Salen. Por la claridad de la izquierda aparece
> la Luna. La Luna es un leñador joven, con la
> cara blanca. La escena adquiere un vivo res-
> plandor azul.)*

LUNA

Cisne redondo en el río,
ojo de las catedrales,
alba fingida en las hojas
soy; ¡no podrán escaparse!
¿Quién se oculta? ¿Quién solloza
por la maleza del valle?
La luna deja un cuchillo
abandonado en el aire,
que siendo acecho de plomo
quiere ser dolor de sangre.
¡Dejadme entrar! ¡Vengo helada
por paredes y cristales!
¡Abrid tejados y pechos
donde pueda calentarme!
¡Tengo frío! Mis cenizas
de soñolientos metales

buscan la cresta del fuego
por los montes y las calles.
Pero me lleva la nieve
sobre su espalda de jaspe,
y me anega, dura y fría,
el agua de los estanques.
Pues esta noche tendrán
mis mejillas roja sangre,
y los juncos agrupados
en los anchos pies del aire.
¡No haya sombra ni emboscada,
que no puedan escaparse!
¡Que quiero entrar en un pecho
para poder calentarme!
¡Un corazón para mí!
¡Caliente!, que se derrame
por los montes de mi pecho;
dejadme entrar, ¡ay, dejadme!   *(A las ramas.)*
No quiero sombras. Mis rayos
han de entrar en todas partes,
y haya en los troncos oscuros
un rumor de claridades,
para que esta noche tengan
mis mejillas dulce sangre,
y los juncos agrupados
en los anchos pies del aire.
¿Quién se oculta? ¡Afuera digo!
¡No! ¡No podrán escaparse!
Yo haré lucir al caballo
una fiebre de diamante.

> *(Desaparece entre los troncos y vuelve la esce-*
> *na a su luz oscura. Sale una ANCIANA total-*

*mente cubierta por tenues paños verdeoscuros.
Lleva los pies descalzos. Apenas si se le verá
el rostro entre los pliegues. Este personaje no
figura en el reparto.)*

MENDIGA

Esa luna se va, y ellos se acercan.
De aquí no pasan. El rumor del río
apagará con el rumor de troncos
el desgarrado vuelo de los gritos.
Aquí ha de ser, y pronto. Estoy cansada.
Abren los cofres, y los blancos hilos
aguardan por el suelo de la alcoba
cuerpos pesados con el cuello herido.
No se despierte un pájaro y la brisa,
recogiendo en su falda los gemidos,
huya con ellos por las negras copas
o los entierre por el blanco limo.
¡Esa luna, esa luna!   *(Impaciente.)*
¡Esa luna, esa luna!

            (Aparece la LUNA. *Vuelve la luz intensa.)*

LUNA

            Ya se acercan.
Unos por la cañada y otros por el río.
Voy a alumbrar las piedras. ¿Qué necesitas?

MENDIGA

                              Nada.

LUNA

El aire va llegando duro, con doble filo.

MENDIGA

Ilumina el chaleco y aparta los botones,
que después las navajas ya saben el camino.

LUNA

Pero que tarden mucho en morir. Que la sangre
me ponga entre los dedos su delicado silbo.
¡Mira que ya mis valles de ceniza despiertan
en ansia de esta fuente de chorro estremecido!

MENDIGA

No dejemos que pasen el arroyo. ¡Silencio!

LUNA

¡Allí vienen!

(Se va. Queda la escena a oscuras.)

MENDIGA

¡De prisa! Mucha luz. ¿Me has oído?
¡No pueden escaparse!

(Entran el NOVIO *y* MOZO 1.º *La* MENDIGA *se
sienta y se tapa con el manto.)*

NOVIO

Por aquí.

MOZO 1.º

No los encontrarás.

NOVIO
(Enérgico)

¡Sí los encontraré!

MOZO 1.º

Creo que se han ido por otra vereda.

NOVIO

No. Yo sentí hace un momento el galope.

MOZO 1.º

Sería otro caballo.

NOVIO
(Dramático)

Oye. No hay más que un caballo en el mundo, y es este. ¿Te has enterado? Si me sigues, sígueme sin hablar.

MOZO 1.º

Es que yo quisiera...

NOVIO

Calla. Estoy seguro de encontrármelos aquí. ¿Ves este brazo? Pues no es mi brazo. Es el brazo de mi hermano y el de mi padre y el de toda mi familia que está muerta. Y tiene tanto poderío, que puede arrancar este árbol de raíz si quiere. Y vamos pronto, que siento los dientes de todos los míos clavados aquí de una manera que se me hace imposible respirar tranquilo.

MENDIGA
(Quejándose)

¡Ay!

MOZO 1.º

¿Has oído?

NOVIO

Vete por ahí y da la vuelta.

MOZO 1.º

Esto es una caza.

NOVIO

Una caza. La más grande que se puede hacer.

> *(Se va el* MOZO. *El* NOVIO *se dirige rápidamen-*
> *te hacia la izquierda y tropieza con la* MENDIGA,
> *la Muerte.)*

MENDIGA

¡Ay!

NOVIO

¿Qué quieres?

MENDIGA

Tengo frío.

NOVIO

¿Adónde te diriges?

MENDIGA

> *(Siempre quejándose como una mendiga)*

Allá lejos...

NOVIO

¿De dónde vienes?

MENDIGA

De allí..., de muy lejos.

NOVIO

¿Viste un hombre y una mujer que corrían monta-
dos en un caballo?

MENDIGA

> *(Despertándose)*

Espera... *(Lo mira.)* Hermoso galán. *(Se levanta.)*
Pero mucho más hermoso si estuviera dormido.

NOVIO

Dime, contesta, ¿los viste?

MENDIGA

Espera... ¡Qué espaldas más anchas! ¿Cómo no te gusta estar tendido sobre ellas y no andar sobre las plantas de los pies, que son tan chicas?

NOVIO
(Zamarreándola)

¡Te digo si los viste! ¿Han pasado por aquí?

MENDIGA
(Enérgica)

No han pasado; pero están saliendo de la colina. ¿No los oyes?

NOVIO

No.

MENDIGA

¿Tú no conoces el camino?

NOVIO

¡Iré, sea como sea!

MENDIGA

Te acompañaré. Conozco esta tierra.

NOVIO
(Impaciente)

¡Pero vamos! ¿Por dónde?

MENDIGA
(Dramática)

¡Por allí!

(Salen rápidos. Se oyen lejanos dos violines que expresan el bosque. Vuelven los LEÑADO-

RES. *Llevan las hachas al hombro. Pasan lentos
entre los troncos.)*

LEÑADOR 1.º

¡Ay muerte que sales!
Muerte de las hojas grandes.

LEÑADOR 2.º

¡No abras el chorro de la sangre!

LEÑADOR 1.º

¡Ay muerte sola!
Muerte de las secas hojas.

LEÑADOR 3.º

¡No cubras de flores la boda!

LEÑADOR 2.º

¡Ay triste muerte!
Deja para el amor la rama verde.

LEÑADOR 1.º

¡Ay muerte mala!
¡Deja para el amor la verde rama!

> *(Van saliendo mientras hablan. Aparecen LEO-
> NARDO y la NOVIA.)*

LEONARDO

¡Calla!

NOVIA

Desde aquí yo me iré sola.
¡Vete! ¡Quiero que te vuelvas!

LEONARDO

¡Calla, digo!

NOVIA

Con los dientes,
con las manos, como puedas,
quita de mi cuello honrado
el metal de esta cadena,
dejándome arrinconada
allá en mi casa de tierra.
Y si no quieres matarme
como a víbora pequeña,
pon en mis manos de novia
el cañón de la escopeta.
¡Ay, qué lamento, qué fuego
me sube por la cabeza!
¡Qué vidrios se me clavan en la lengua

LEONARDO

Ya dimos el paso; ¡calla!,
porque nos persiguen cerca
y te he de llevar conmigo.

NOVIA

¡Pero ha de ser a la fuerza!

LEONARDO

¿A la fuerza? ¿Quién bajó
primero las escaleras?

NOVIA

Yo las bajé.

LEONARDO

¿Quién le puso
al caballo bridas nuevas?

NOVIA

Yo misma. Verdad.

LEONARDO

¿Y qué manos
me calzaron las espuelas?

NOVIA

Estas manos que son tuyas,
pero que al verte quisieran
quebrar las ramas azules
y el murmullo de tus venas.
¡Te quieo! ¡Te quiero! ¡Aparta!
Que si matarte pudiera,
te pondría una mortaja
con los filos de violetas.
¡Ay, qué lamento, qué fuego
me sube por la cabeza!

LEONARDO

¡Qué vidrios se me clavan en la lengua!
Porque yo quise olvidar
y puse un muro de piedra
entre tu casa y la mía.
Es verdad. ¿No lo recuerdas?

Y cuando te vi de lejos
me eché en los ojos arena.
Pero montaba a caballo
y el caballo iba a tu puerta.
Con alfileres de plata
mi sangre se puso negra,
y el sueño me fue llenando
las carnes de mala hierba.
Que yo no tengo la culpa,
que la culpa es de la tierra
y de ese olor que te sale
de los pechos y las trenzas.

NOVIA

¡Ay qué sinrazón! No quiero
contigo cama ni cena,
y no hay minuto del día
que estar contigo no quiera,
porque me arrastras y voy,
y me dices que me vuelva
y te sigo por el aire
como una brizna de hierba.
He dejado a un hombre duro
y a toda su descendencia
en la mitad de la boda
y con la corona puesta.
Para ti será el castigo
y no quiero que lo sea.
¡Déjame sola! ¡Huye tú!
No hay nadie que te defienda.

LEONARDO

Pájaros de la mañana
por los árboles se quiebran.
La noche se está muriendo
en el filo de la piedra.
Vamos al rincón oscuro,
donde yo siempre te quiera,
que no me importa la gente,
ni el veneno que nos echa.

(La abraza fuertemente.)

NOVIA

Y yo dormiré a tus pies
para guardar lo que sueñas.
Desnuda, mirando al campo,
como si fuera una perra,
¡porque eso soy! Que te miro
y tu hermosura me quema.

(Dramática.)

LEONARDO

Se abrasa lumbre con lumbre.
La misma llama pequeña
mata dos espigas juntas.
¡Vamos!

(La arrastra.)

NOVIA

¿Adónde me llevas?

LEONARDO

A donde no puedan ir
estos hombres que nos cercan.
¡Donde yo pueda mirarte!

NOVIA

(Sarcástica)

Llévame de feria en feria,
dolor de mujer honrada,
a que las gentes me vean
con las sábanas de boda
al aire como banderas.

LEONARDO

También yo quiero dejarte
si pienso como se piensa.
Pero voy donde tú vas.
Tú también. Da un paso. Prueba.
Clavos de luna nos funden
mi cintura y tus caderas.

*(Toda esta escena es violenta, llena de gran
sensualidad.)*

NOVIA

¿Oyes?

LEONARDO

Viene gente.

NOVIA

¡Huye!
Es justo que yo aquí muera
con los pies dentro del agua,
espinas en la cabeza.
Y que me lloren las hojas,
mujer perdida y doncella.

LEONARDO

Cállate. Ya suben.

NOVIA

¡Vete!

LEONARDO

Silencio. Que no nos sientan.
Tú delante. ¡Vamos, digo!

(Vacila la NOVIA.)

NOVIA

¡Los dos juntos!

LEONARDO
(Abrazándola)
¡Como quieras!
Si nos separan, será
porque esté muerto.

NOVIA

Y yo muerta.

(Salen abrazados. Aparece la LUNA muy despacio. La escena adquiere una fuerte luz azul. Se oyen los dos violines. Bruscamente se oyen dos largos gritos desgarrados y se corta la música de los violines. Al segundo grito aparece la MENDIGA y queda de espaldas. Abre el manto y queda en el centro, como un gran pájaro de alas inmensas. La LUNA se detiene. El telón baja en medio de un silencio absoluto.)

Telón

CUADRO ÚLTIMO

*Habitación blanca con arcos y gruesos muros. A la derecha
y a la izquierda, escaleras blancas. Gran arco al fondo y pared del mismo color. El suelo será también de un blanco reluciente. Esta habitación simple tendrá un sentido monumental
de iglesia. No habrá ni un gris, ni una sombra, ni siquiera
lo preciso para la perspectiva*
Dos MUCHACHAS *vestidas de azul oscuro están devanando
una madeja roja*

MUCHACHA 1.ª

Madeja, madeja,
¿qué quieres hacer?

MUCHACHA 2.ª

Jazmín de vestido,
cristal de papel.
Nacer a las cuatro,
morir a las diez.
Ser hilo de lana,
cadena a tus pies
y nudo que apriete
amargo laurel.

NIÑA
(Cantando)

¿Fuiste a la boda?

MUCHACHA 1.ª

No.

NIÑA

¡Tampoco fui yo!
¿Qué pasaría
por los tallos de la viña?
¿Qué pasaría
por el ramo de la oliva?
¿Qué pasó
que nadie volvió?
¿Fuiste a la boda?

MUCHACHA 2.ª

Hemos dicho que no.

NIÑA
(Yéndose)

¡Tampoco fui yo!

MUCHACHA 2.ª

Madeja, madeja,
¿qué quieres cantar?

MUCHACHA 1.ª

Heridas de cera,
dolor de arrayán.
Dormir la mañana,
de noche velar.

NIÑA
(En la puerta)

El hilo tropieza
con el pedernal.
Los montes azules
lo dejan pasar.
Corre, corre, corre,
y al fin llegará
a poner cuchillo
y a quitar el pan.

(Se va.)

MUCHACHA 2.ª

Madeja, madeja,
¿qué quieres decir?

MUCHACHA 1.ª

Amante sin habla.
Novio carmesí.
Por la orilla muda
tendidos los vi.

(Se detiene mirando la madeja.)

NIÑA
(Asomándose a la puerta)

Corre, corre, corre,
el hilo hasta aquí.
Cubiertos de barro
los siento venir.
¡Cuerpos estirados,
paños de marfil!

*(Se va. Aparecen la MUJER y la SUEGRA de
LEONARDO. Llegan angustiadas.)*

MUCHACHA 1.ª

¿Vienen ya?

SUEGRA
(Agria)

No sabemos.

MUCHACHA 2.ª

¿Qué contáis de la boda?

MUCHACHA 1.ª

Dime.

SUEGRA
(Seca)

Nada.

MUJER

Quiero volver para saberlo todo.

SUEGRA
(Enérgica)

Tú, a tu casa.
Valiente y sola en tu casa.
A envejecer y a llorar.
Pero la puerta cerrada.
Nunca. Ni muerto ni vivo.
Clavaremos las ventanas.
Y vengan lluvias y noches
sobre las hierbas amargas.

MUJER

¿Qué habrá pasado?

SUEGRA

No importa.
Échate un velo en la cara.

Tus hijos son hijos tuyos
nada más. Sobre la cama
pon una cruz de ceniza
donde estuvo su almohada.

(Salen.)

MENDIGA
(A la puerta)
Un pedazo de pan, muchachas.

NIÑA
¡Vete!
(Las MUCHACHAS se agrupan.)

MENDIGA
¿Por qué?

NIÑA
Porque tú gimes: vete.

MUCHACHA 1.ª
¡Niña!

MENDIGA
¡Pude pedir tus ojos! Una nube
de pájaros me sigue: ¿quieres uno?

NIÑA
¡Yo me quiero marchar!

MUCHACHA 2.ª
(A la MENDIGA)
¡No le hagas caso!

MUCHACHA 1.ª
¿Vienes por el camino del arroyo?

MENDIGA

Por allí vine.

MUCHACHA 1.ª
(Tímida)

¿Puedo preguntarte?

MENDIGA

Yo los vi; pronto llegan: dos torrentes
quietos al fin entre las piedras grandes,
dos hombres en las patas del caballo.
Muertos en la hermosura de la noche.

(Con delectación.)

Muertos, sí, muertos.

MUCHACHA 1.ª

¡Calla, vieja, calla!

MENDIGA

Flores rotas los ojos, y sus dientes
dos puñados de nieve endurecida.
Los dos cayeron, y la novia vuelve
teñida en sangre falda y cabellera.
Cubiertos con dos mantas ellos vienen
sobre los hombros de los mozos altos.
Así fue; nada más. Era lo justo.
Sobre la flor del oro, sucia arena.

*(Se va. Las MUCHACHAS inclinan la cabeza
y rítmicamente van saliendo.)*

MUCHACHA 1.ª

Sucia arena.

MUCHACHA 2.ª

Sobre la flor del oro.

NIÑA

Sobre la flor del oro
traen a los novios del arroyo.
Morenito el uno,
morenito el otro.
¡Qué ruiseñor de sombra vuela y gime
sobre la flor del oro!

*(Se va. Queda la escena sola. Aparece la MA-
DRE con una VECINA. La VECINA viene llorando.)*

MADRE

Calla.

VECINA

No puedo.

MADRE

Calla, he dicho. *(En la puerta.)* ¿No hay nadie
aquí? *(Se lleva las manos a la frente.)* Debía contes-
tarme mi hijo. Pero mi hijo es ya un brazado de flores secas. Mi hijo es ya una voz oscura detrás de los
montes. *(Con rabia, a la VECINA.)* ¿Te quieres callar?
No quiero llantos en esta casa. Vuestras lágrimas son
lágrimas de los ojos nada más, y las mías vendrán
cuando yo esté sola, de las plantas de los pies, de mis
raíces, y serán más ardientes que la sangre.

VECINA

Vente a mi casa; no te quedes aquí.

MADRE

Aquí. Aquí quiero estar. Y tranquila. Ya todos están muertos. A medianoche dormiré, dormiré sin que ya me aterren la escopeta o el cuchillo. Otras madres se asomarán a las ventanas, azotadas por la lluvia, para ver el rostro de sus hijos. Yo, no. Yo haré con mi sueño una fría paloma de marfil que lleve camelias de escarcha sobre el camposanto. Pero no; camposanto, no, camposanto, no; lecho de tierra, cama que los cobija y que los mece por el cielo. (*Entra una* MUJER *de negro que se dirige a la derecha y allí se arrodilla. A la* VECINA.) Quítate las manos de la cara. Hemos de pasar días terribles. No quiero ver a nadie. La tierra y yo. Mi llanto y yo. Y estas cuatro paredes. ¡Ay! ¡Ay! (*Se sienta transida.*)

VECINA

Ten caridad de ti misma.

MADRE
(Echándose el pelo hacia atrás)

He de estar serena. (*Se sienta.*) Porque vendrán las vecinas y no quiero que me vean tan pobre. ¡Tan pobre! Una mujer que no tiene un hijo siquiera que poderse llevar a los labios.

(*Aparece la* NOVIA. *Viene sin azahar y con un manto negro*)

VECINA
(Viendo a la NOVIA, con rabia)

¿Dónde vas?

NOVIA

Aquí vengo.

MADRE

(*A la* VECINA)

¿Quién es?

VECINA

¿No la reconoces?

MADRE

Por eso pregunto quién es. Porque tengo que no re-
conocerla, para no clavarla mis dientes en el cuello.
¡Víbora! (*Se dirige hacia la* NOVIA *con ademán fulmi-
nante; se detiene. A la* VECINA.) ¿La ves? Está ahí,
y está llorando, y yo quieta, sin arrancarle los ojos.
No me entiende. ¿Será que yo no quería a mi hijo?
Pero ¿y su honra? ¿Dónde está su honra?

(*Golpea a la* NOVIA. *Esta cae al suelo.*)

VECINA

¡Por Dios! (*Trata de separarlas.*)

NOVIA

(*A la* VECINA)

Déjala; he venido para que me mate y que me lle-
ven con ellos. (*A la* MADRE.) Pero no con las manos;
con garfios de alambre, con una hoz, y con fuerza,
hasta que se rompa en mis huesos. ¡Déjala! Que quiero que sepa que yo soy limpia, que estaré loca, pero
que me pueden enterrar sin que ningún hombre se
haya mirado en la blancura de mis pechos.

MADRE

Calla, calla; ¿qué me importa eso a mí?

NOVIA

¡Porque yo me fui con el otro, me fui! *(Con angustia.)* Tú también te hubieras ido. Yo era una mujer quemada, llena de llagas por dentro y por fuera, y tu hijo era un poquito de agua de la que yo esperaba hijos, tierra, salud; pero el otro era un río oscuro, lleno de ramas, que acercaba a mí el rumor de sus juncos y su cantar entre dientes. Y yo corría con tu hijo que era como un niñito de agua, frío, y el otro me mandaba cientos de pájaros que me impedían el andar y que dejaban escarcha sobre mis heridas de pobre mujer marchita, de muchacha acariciada por el fuego. Yo no quería, ¡óyelo bien!; yo no quería, ¡óyelo bien!, yo no quería. ¡Tu hijo era mi fin y yo no lo he engañado, pero el brazo del otro me arrastró como un golpe de mar, como la cabezada de un mulo, y me hubiera arrastrado siempre, siempre, siempre, aunque hubiera sido vieja y todos los hijos de tu hijo me hubiesen agarrado de los cabellos!

(Entra una VECINA.)

MADRE

Ella no tiene la culpa, ¡ni yo! *(Sarcástica.)* ¿Quién la tiene, pues? ¡Floja, delicada, mujer de mal dormir es quien tira una corona de azahar para buscar un pedazo de cama calentado por otra mujer!

NOVIA

¡Calla, calla! Véngate de mí; ¡aquí estoy! Mira que mi cuello es blando; te costará menos trabajo que segar una dalia de tu huerto. Pero ¡eso no! Honrada, honrada como una niña recién nacida. Y fuerte para demostrártelo. Enciende la lumbre. Vamos a meter las manos; tú por tu hijo; yo, por mi cuerpo. La retirarás antes tú.

(Entra otra VECINA.)

MADRE

Pero ¿qué me importa a mí tu honradez? ¿Qué me importa tu muerte? ¿Qué me importa a mí nada de nada? Benditos sean los trigos, porque mis hijos están debajo de ellos; bendita sea la lluvia, porque moja la cara de los muertos. Bendito sea Dios, que nos tiende juntos para descansar.

(Entra otra VECINA.)

NOVIA

Déjame llorar contigo.

MADRE

Llora. Pero en la puerta.

(Entra la NIÑA. *La* NOVIA *queda en la puerta. La* MADRE, *en el centro de la escena.)*

MUJER
(Entrando y dirigiéndose a la izquierda)

Era hermoso jinete,
y ahora montón de nieve.
Corría ferias y montes
y brazos de mujeres.
Ahora, musgo de noche
le corona la frente.

MADRE

Girasol de tu madre,
espejo de la tierra.
Que te pongan al pecho
cruz de amargas adelfas;

sábana que te cubra
de reluciente seda,
y el agua forme un llanto
entre tus manos quietas.

MUJER

¡Ay, qué cuatro muchachos
llegan con hombros cansados!

NOVIA

¡Ay, qué cuatro galanes
traen a la muerte por el aire!

MADRE

Vecinas.

NIÑA

(En la puerta)

Ya los traen.

MADRE

Es lo mismo.
La cruz, la cruz.

MUJERES

Dulces clavos,
dulce cruz,
dulce nombre
de Jesús.

NOVIA

Que la cruz ampare a muertos y vivos.

MADRE

Vecinas: con un cuchillo,
con un cuchillito,

en un día señalado, entre las dos y las tres,
se mataron los dos hombres del amor.
Con un cuchillo,
con un cuchillito
que apenas cabe en la mano,
pero que penetra fino
por las carnes asombradas
y que se para en el sitio
donde tiembla enmarañada
la oscura raíz del grito.

NOVIA

Y esto es un cuchillo,
un cuchillito
que apenas cabe en la mano;
pez sin escamas ni río,
para que un día señalado, entre las dos y las tres,
con este cuchillo
se queden dos hombres duros
con los labios amarillos.

MADRE

Y apenas cabe en la mano,
pero que penetra frío
por las carnes asombradas
y allí se para, en el sitio
donde tiembla enmarañada
la oscura raíz del grito.

(Las VECINAS, *arrodilladas en el suelo, lloran.)*

Telón

FIN DE «BODAS DE SANGRE»

YERMA

POEMA TRÁGICO EN TRES ACTOS
Y SEIS CUADROS

(1934)

PERSONAJES

YERMA.
MARÍA.
VIEJA PAGANA.
DOLORES.
LAVANDERA 1.*
LAVANDERA 2.*
LAVANDERA 3.*
LAVANDERA 4.*
LAVANDERA 5.*
LAVANDERA 6.*
MUCHACHA 1.*
MUCHACHA 2.*

HEMBRA.
CUÑADA 1.*
CUÑADA 2.*
MUJER 1.*
MUJER 2.*
NIÑO.
JUAN.
VÍCTOR.
MACHO.
HOMBRE 1.°
HOMBRE 2.°
HOMBRE 3.°

ACTO PRIMERO

CUADRO I

Al levantarse el telón está YERMA *dormida con un tabanque
de costura a los pies. La escena tiene una extraña luz de sueño. Un* PASTOR *sale de puntillas, mirando fijamente a* YERMA.
Lleva de la mano a un NIÑO *vestido de blanco. Suena el reloj.
Cuando sale el* PASTOR *la luz se cambia por una alegre luz
de mañana de primavera.* YERMA *se despierta*

CANTO

VOZ
(Dentro)

A la nana, nana, nana,
a la nanita le haremos
una chocita en el campo
y en ella nos meteremos.

YERMA

Juan, ¿me oyes?, Juan.

JUAN

Voy.

YERMA

Ya es la hora.

JUAN

¿Pasaron las yuntas?

YERMA

Ya pasaron.

JUAN

Hasta luego. (Va a salir.)

YERMA

¿No tomas un vaso de leche?

JUAN

¿Para qué?

YERMA

Trabajas mucho y no tienes tú cuerpo para resistir los trabajos.

JUAN

Cuando los hombres se quedan enjutos se ponen fuertes como el acero.

YERMA

Pero tú no. Cuando nos casamos eras otro. Ahora tienes la cara blanca, como si no te diera en ella el sol. A mí me gustaría que fueras al río y nadaras y que te subieras al tejado cuando la lluvia cala nuestra vivienda. Veinticuatro meses llevamos casados, y tú cada vez más triste, más enjuto, como si crecieras al revés.

JUAN

¿Has acabado?

YERMA
(Levantándose)

No lo tomes a mal. Si yo estuviera enferma, me gustaría que tú me cuidases. «Mi mujer está enfer-

he should be protecting her, Yerma thinks - showing signs of basic interest in her.

ma. Voy a matar este cordero para hacerle un buen guiso de carne.» «Mi mujer está enferma. Voy a guardar esta enjundia de gallina para aliviar su pecho, voy a llevarle esta piel de oveja para guardar sus pies de la nieve.» Así soy yo. Por eso te cuido. *hint of his inadequacy.*

JUAN

Y yo te lo agradezco.

YERMA

Pero no te dejas cuidar.

JUAN

Es que no tengo nada. Todas esas cosas son suposiciones tuyas. Trabajo mucho. Cada año seré más viejo.

YERMA

Cada año... Tú y yo seguimos aquí cada año...

JUAN
(Sonriente)

Naturalmente. Y bien sosegados. Las cosas de la labor van bien, no tenemos hijos que gasten. *Sees childless state as good 'cos he doesn't have to spend money.*

YERMA

No tenemos hijos... ¡Juan!

JUAN

Dime.

YERMA

¿Es que yo no te quiero a ti?

JUAN

Me quieres.

YERMA

Yo conozco muchachas que han temblado y que lloraban antes de entrar en la cama con sus maridos. ¿Lloré yo la primera vez que me acosté contigo? ¿No cantaba al levantar los embozos de holanda? ¿Y no te dije: «¡Cómo huelen a manzanas estas ropas!»?

JUAN

¡Eso dijiste!

YERMA

Mi madre lloró porque no sentí separarme de ella. ¡Y era verdad! Nadie se casó con más alegría. Y sin embargo...

JUAN

Calla. Demasiado trabajo tengo yo con oír en todo momento...

YERMA

No. No me repitas lo que dicen. Yo veo por mis ojos que eso no puede ser... A fuerza de caer la lluvia sobre las piedras estas se ablandan y hacen crecer jaramagos, que las gentes dicen que no sirven para nada. «Los jaramagos no sirven para nada», pero yo bien los veo mover sus flores amarillas en el aire.

JUAN

¡Hay que esperar!

YERMA

Sí; queriendo. (YERMA *abraza y besa al marido, tomando ella la iniciativa.*)

JUAN

Si necesitas algo me lo dices y lo traeré. Ya sabes que no me gusta que salgas.

YERMA

Nunca salgo.

JUAN

Estás mejor aquí.

YERMA

Sí.

JUAN

La calle es para la gente desocupada.

YERMA
(Sombría)

Claro.

(El marido sale y YERMA *se dirige a la costura, se pasa la mano por el vientre, alza los brazos en un hermoso bostezo y se sienta a coser.)*

¿De dónde vienes, amor, mi niño?
De la cresta del duro frío.
¿Qué necesitas, amor, mi niño?
La tibia tela de tu vestido.   *(Enhebra la aguja.)*
¡Que se agiten las ramas al sol
y salten las fuentes alrededor!
                    (Como si hablara con un niño.)
En el patio ladra el perro,
en los árboles canta el viento.
Los bueyes mugen al boyero
y la luna me riza los cabellos.
¿Qué pides, niño, desde tan lejos?

                    (Pausa.)

Los blancos montes que hay en tu pecho.
¡Que se agiten las ramas al sol
y salten las fuentes alrededor!
                                              (Cosiendo.)
Te diré, niño mío, que sí,
tronchada y rota soy para ti.
¡Cómo me duele esta cintura
donde tendrás primera cuna!
¿Cuándo, mi niño, vas a venir?
                                              (Pausa.)
Cuando tu carne huela a jazmín.
¡Que se agiten las ramas al sol
y salten las fuentes alrededor!

> (YERMA *queda cantando. Por la puerta entra*
> MARÍA, *que viene con un lío de ropa.*)

¿De dónde vienes?

MARÍA

De la tienda.

YERMA

¿De la tienda tan temprano?

MARÍA

Por mi gusto hubiera esperado en la puerta a que
abrieran; y ¿a que no sabes lo que he comprado?

YERMA

Habrás comprado café para el desayuno, azúcar,
los panes.

MARÍA

No. He comprado encajes, tres varas de hilo, cintas y lanas de color para hacer madroños. El dinero
lo tenía mi marido y me lo ha dado él mismo.

YERMA

Te vas a hacer una blusa.

MARÍA

No, es porque... ¿sabes?

YERMA

¿Qué?

MARÍA

Porque ¡ya ha llegado! *(Queda con la cabeza baja.)*

> *(YERMA se levanta y queda mirándola con admiración.)*

YERMA

¡A los cinco meses!

MARÍA

Sí.

YERMA

¿Te has dado cuenta de ello?

MARÍA

Naturalmente.

YERMA
(Con curiosidad)

¿Y qué sientes?

MARÍA

No sé. Angustia.

YERMA

Angustia. *(Agarrada a ella.)* Pero... ¿cuándo llegó?... Dime. Tú estabas descuidada.

MARÍA

Sí, descuidada...

YERMA

Estarías cantando, ¿verdad? Yo canto. Tú..., dime...

MARÍA

No me preguntes. ¿No has tenido nunca un pájaro vivo apretado en la mano?

YERMA

Sí.

MARÍA

Pues lo mismo..., pero por dentro de la sangre.

YERMA

¡Qué hermosura! (*La mira extraviada.*)

MARÍA

Estoy aturdida. No sé nada.

YERMA

¿De qué?

MARÍA

De lo que tengo que hacer. Le preguntaré a mi madre.

YERMA

¿Para qué? Ya está vieja y habrá olvidado estas cosas. No andes mucho y cuando respires respira tan suave como si tuvieras una rosa entre los dientes.

MARÍA

Oye: dicen que más adelante te empuja suavemente con las piernecitas.

YERMA

Y entonces es cuando se le quiere más, cuando se dice ya: ¡mi hijo!

MARÍA

En medio de todo tengo vergüenza.

YERMA

¿Qué ha dicho tu marido?

MARÍA

Nada.

YERMA

¿Te quiere mucho?

MARÍA

No me lo dice, pero se pone junto a mí y sus ojos tiemblan como dos hojas verdes.

YERMA

¿Sabía él que tú...?

MARÍA

Sí.

YERMA

Y ¿por qué lo sabía?

MARÍA

No sé. Pero la noche que nos casamos me lo decía constantemente con su boca puesta en mi mejilla, tanto que a mí me parece que mi niño es un palomo de lumbre que él me deslizó por la oreja.

YERMA

¡Dichosa!

MARÍA

Pero tú estás más enterada de esto que yo.

YERMA

¿De qué me sirve?

MARÍA

¡Es verdad! ¿Por qué será eso? De todas las novias de tu tiempo tú eres la única.

YERMA

Es así. Claro que todavía es tiempo. Elena tardó
tres años, y otras antiguas, del tiempo de mi madre,
mucho más; pero dos años y veinte días, como yo, es
demasiado esperar. Pienso que no es justo que yo me
consuma aquí. Muchas noches salgo descalza al patio
para pisar la tierra, no sé por qué. Si sigo así, acabaré volviéndome mala.

MARÍA

Pero ven acá, criatura; hablas como si fueras una
vieja. ¡Qué digo! Nadie puede quejarse de estas cosas. Una hermana de mi madre lo tuvo a los catorce
años, ¡y si vieras qué hermosura de niño!

YERMA
(Con ansiedad)

¿Qué hacía?

MARÍA

Lloraba como un torito, con la fuerza de mil ciga-
rras cantando a la vez, y nos orinaba y nos tiraba de
las trenzas, y cuando tuvo cuatro meses nos llenaba
la cara de arañazos.

YERMA
(*Riendo*)

Pero esas cosas no duelen.

MARÍA

Te diré...

YERMA

¡Bah! Yo he visto a mi hermana dar de mamar a su niño con el pecho lleno de grietas y le producía un gran dolor, pero era un dolor fresco, bueno, necesario para la salud.

MARÍA

Dicen que con los hijos se sufre mucho.

YERMA

Mentira. Eso lo dicen las madres débiles, las quejumbrosas. ¿Para qué los tienen? Tener un hijo no es tener un ramo de rosas. Hemos de sufrir para verlos crecer. Yo pienso que se nos va la mitad de nuestra sangre. Pero esto es bueno, sano, hermoso. Cada mujer tiene sangre para cuatro o cinco hijos, y cuando no los tienen se les vuelve veneno, como me va a pasar a mí.

MARÍA

No sé lo que tengo.

YERMA

Siempre oí decir que las primerizas tienen susto

MARÍA
(*Tímida*)

Veremos... Como tú coses tan bien...

YERMA

(Cogiendo el lío)

Trae. Te cortaré dos trajecitos. ¿Y esto?

MARÍA

Son los pañales.

YERMA

Bien. *(Se sienta.)*

MARÍA

Entonces... Hasta luego.

> *(Se acerca y* YERMA *le coge amorosamente el vientre con las manos.)*

YERMA

No corras por las piedras de la calle.

MARÍA

Adiós. *(La besa y sale.)*

YERMA

Vuelve pronto. (YERMA *queda en la misma actitud que al principio. Coge las tijeras y empieza a cortar. Sale* VÍCTOR.) Adiós, Víctor.

VÍCTOR

(Es profundo y lleva firme gravedad)

¿Y Juan?

YERMA

En el campo.

VÍCTOR

¿Qué coses?

YERMA

Corto unos pañales.

VÍCTOR
(Sonriente)

¡Vamos!

YERMA
(Ríe)

Los voy a rodear de encajes.

VÍCTOR

Si es niña le pondrás tu nombre.

YERMA
(Temblando)

¿Cómo?...

VÍCTOR

Me alegro por ti.

YERMA
(Casi ahogada)

No..., no son para mí. Son para el hijo de María.

VÍCTOR

Bueno, pues a ver si con el ejemplo te animas. En esta casa hace falta un niño.

YERMA
(Con angustia)

¡Hace falta!

VÍCTOR

Pues adelante. Dile a tu marido que piense menos en el trabajo. Quiere juntar dinero y lo juntará, pero ¿a quién lo va a dejar cuando se muera? Yo me voy

con las ovejas. Dile a Juan que recoja las dos que me
compró, y en cuanto a lo otro, ¡que ahonde! *(Se va
sonriente.)*

YERMA

(Con pasión)

¡Eso! ¡Que ahonde!
Te diré, niño mío, que sí,
tronchada y rota soy para ti.
¡Cómo me duele esta cintura,
donde tendrás primera cuna!
¿Cuándo, mi niño, vas a venir?
¡Cuando tu carne huela a jazmín!

(YERMA, *que en actitud pensativa se levanta y
acude al sitio donde ha estado* VÍCTOR *y respira fuertemente, como si aspirara aire de montaña, después va al otro lado de la habitación,
como buscando algo, y de allí vuelve a sentarse
y coge otra vez la costura. Comienza a coser
y queda con los ojos fijos en un punto.)*

Telón

CUADRO II

Campo. Sale YERMA. *Trae una cesta. Sale la* VIEJA 1.ª

YERMA

Buenos días.

VIEJA 1.ª

Buenos los tenga la hermosa muchacha. ¿Dónde vas?

YERMA

Vengo de llevar la comida a mi esposo, que trabaja en los olivos.

VIEJA 1.ª

¿Llevas mucho tiempo de casada?

YERMA

Tres años.

VIEJA 1.ª

¿Tienes hijos?

YERMA

No.

VIEJA 1.ª

¡Bah! ¡Ya tendrás!

YERMA

(Con ansiedad)

¿Usted lo cree?

VIEJA 1.ª

¿Por qué no? *(Se sienta.)* También yo vengo de traer la comida a mi esposo. Es viejo. Todavía trabaja. Tengo nueve hijos como nueve soles, pero como ninguno es hembra, aquí me tienes a mí de un lado para otro.

YERMA

Usted vive al otro lado del río.

VIEJA 1.ª

Sí. En los molinos. ¿De qué familia eres tú?

YERMA

Yo soy hija de Enrique el pastor.

VIEJA 1.ª

¡Ah! Enrique el pastor. Lo conocí. Buena gente. Levantarse. Sudar, comer unos panes y morirse. Ni más juego, ni más nada. Las ferias para otros. Criaturas de silencio. Pude haberme casado con un tío tuyo. Pero ¡ca! Yo he sido una mujer de faldas en el aire, he ido flechada a la tajada de melón, a la fiesta, a la torta de azúcar. Muchas veces me he asomado de madrugada a la puerta creyendo oír música de bandurrias que iba, que venía, pero era el aire. *(Ríe.)* Te vas a reír de mí. He tenido dos maridos, catorce hijos, cinco murieron y, sin embargo, no estoy triste, y quisiera vivir mucho más. Es lo que digo yo. Las higueras, ¡cuánto duran! Las casas, ¡cuánto duran!, y solo nosotras, las endemoniadas mujeres, nos hacemos polvo por cualquier cosa.

YERMA

Yo quisiera hacerle una pregunta.

VIEJA 1.ª

¿A ver? *(La mira.)* Ya sé lo que me vas a decir. De estas cosas no se puede decir palabra. *(Se levanta.)*

YERMA
(Deteniéndola.

¿Por qué no? Me ha dado confianza el oírla hablar. Hace tiempo estoy deseando tener conversación con mujer vieja. Porque yo quiero enterarme. Sí. Usted me dirá...

VIEJA 1.ª

¿Qué?

YERMA
(Bajando la voz)

Lo que usted sabe. ¿Por qué estoy yo seca? ¿Me he de quedar en plena vida para cuidar aves o poner cortinitas planchadas en mi ventanillo? No. Usted me ha de decir lo que tengo que hacer, que yo haré lo que sea, aunque me mande clavarme agujas en el sitio más débil de mis ojos.

VIEJA 1.ª

¿Yo? Yo no sé nada. Yo me he puesto boca arriba y he comenzado a cantar. Los hijos llegan como el agua. ¡Ay! ¿Quién puede decir que este cuerpo que tienes no es hermoso? Pisas, y al fondo de la calle relincha el caballo. ¡Ay! Déjame, muchacha, no me hagas hablar. Pienso muchas ideas que no quiero decir.

YERMA

¿Por qué? ¡Con mi marido no hablo de otra cosa!

VIEJA 1.ª

Oye. ¿A ti te gusta tu marido?

YERMA

¿Cómo?

VIEJA 1.ª

¿Que si lo quieres? ¿Si deseas estar con él?...

YERMA

No sé.

VIEJA 1.ª

¿No tiemblas cuando se acerca a ti? ¿No te da así como un sueño cuando acerca sus labios? Dime.

YERMA

No. No lo he sentido nunca.

VIEJA 1.ª

¿Nunca? ¿Ni cuando has bailado?

YERMA
(Recordando)

Quizá... Una vez... Víctor...

Vieja 1.ª

Sigue.

Yerma

Me cogió de la cintura y no pude decirle nada porque no podía hablar. Otra vez el mismo Víctor, teniendo yo catorce años (él era un zagalón), me cogió en sus brazos para saltar una acequia y me entró un temblor que me sonaron los dientes. Pero es que yo he sido vergonzosa.

Vieja 1.ª

Y con tu marido...

Yerma

Mi marido es otra cosa. Me lo dio mi padre y yo lo acepté. Con alegría. Esta es la pura verdad. Pues el primer día que me puse novia con él ya pensé... en los hijos... Y me miraba en sus ojos. Sí, pero era para verme muy chica, muy manejable, como si yo misma fuera hija mía.

Vieja 1.ª

Todo lo contrario que yo. Quizá por eso no hayas parido a tiempo. Los hombres tienen que gustar, muchacha. Han de deshacernos las trenzas y darnos de beber agua en su misma boca. Así corre el mundo.

Yerma

El tuyo; que el mío, no. Yo pienso muchas cosas, muchas, y estoy segura que las cosas que pienso las ha de realizar mi hijo. Yo me entregué a mi marido por él, y me sigo entregando para ver si llega, pero nunca por divertirme.

VIEJA 1.ª

¡Y resulta que estás vacía!

YERMA

full of hatred

No, vacía, no, porque me estoy llenando de odio.
Dime: ¿tengo yo la culpa? ¿Es preciso buscar en el
hombre al hombre nada más? Entonces, ¿qué vas a
pensar cuando te deja en la cama con los ojos tristes
mirando al techo y se da media vuelta y se duerme?
¿He de quedarme pensando en él o en lo que puede
salir relumbrando de mi pecho? Yo no sé, ¡pero dímelo tú, por caridad! *(Se arrodilla.)* kneels

VIEJA 1.ª

¡Ay, qué flor abierta! Qué criatura tan hermosa
eres. Déjame. No me hagas hablar más. No quiero
hablarte más. Son asuntos de honra* y yo no quemo
la honra de nadie. Tú sabrás. De todos modos, debías
ser menos inocente.

social comment

YERMA
(Triste)

Las muchachas que se crían en el campo, como yo,
tienen cerradas todas las puertas. Todo se vuelven
medias palabras, gestos, porque todas estas cosas
dicen que no se pueden saber. Y tú también, tú también te callas y te vas con aire de doctora, sabiéndolo
todo, pero negándolo a la que se muere de sed.

VIEJA 1.ª

A otra mujer serena yo le hablaría. A ti no. Soy
vieja, y sé lo que digo.

*The old woman is saying what
symbolically Yerma's conscience says*

YERMA

Entonces, que Dios me ampare.

VIEJA 1.ª

Dios, no. A mí no me ha gustado nunca Dios. ¿Cuándo os vais a dar cuenta de que no existe? Son los hombres los que tienen que amparar.

YERMA

Pero ¿por qué me dices eso, por qué?

VIEJA 1.ª
(Yéndose)

Aunque debía haber Dios, aunque fuera pequeñito, para que mandara rayos contra los hombres de simiente podrida que encharcan la alegría de los campos.

YERMA

No sé lo que me quieres decir.

VIEJA 1.ª

Bueno, yo me entiendo. No pases tristezas. Espera en firme. Eres muy joven todavía. ¿Qué quieres que haga yo? *(Se va.)*

(Aparecen dos MUCHACHAS.*)*

MUCHACHA 1.ª

Por todas partes nos vamos encontrando gente.

YERMA

Con las faenas, los hombres están en los olivos, hay que traerles de comer. No quedan en las casas más que los ancianos.

MUCHACHA 2.ª

¿Tú regresas al pueblo?

YERMA

Hacia allá voy.

MUCHACHA 1.ª

Yo llevo mucha prisa. Me dejé al niño dormido y no hay nadie en casa.

YERMA

Pues aligera, mujer. Los niños no se pueden dejar solos. ¿Hay cerdos en tu casa?

MUCHACHA 1.ª

No. Pero tienes razón. Voy de prisa.

YERMA

Anda. Así pasan las cosas. Seguramente lo has dejado encerrado.

MUCHACHA 1.ª

Es natural.

YERMA

Sí, pero es que no os dais cuenta lo que es un niño pequeño. La causa que nos parece más inofensiva puede acabar con él. Una agujita, un sorbo de agua.

MUCHACHA 1.ª

Tienes razón. Voy corriendo. Es que no me doy bien cuenta de las cosas.

YERMA

Anda.

Muchacha 2.ª

Si tuvieras cuatro o cinco, no hablarías así.

Yerma

¿Por qué? Aunque tuviera cuarenta.

Muchacha 2.ª

De todos modos, tú y yo, con no tenerlos, vivimos más tranquilas.

Yerma

Yo, no.

Muchacha 2.ª

Yo, sí. ¡Qué afán! En cambio, mi madre no hace más que darme yerbajos para que los tenga, y en octubre iremos al Santo que dicen que los da a la que lo pide con ansia. Mi madre pedirá. Yo, no.

Yerma

¿Por qué te has casado?

Muchacha 2.ª

Porque me han casado. Se casan todas. Si seguimos así, no va a haber solteras más que las niñas. Bueno, y además..., una se casa en realidad mucho antes de ir a la iglesia. Pero las viejas se empeñan en todas estas cosas. Yo tengo diecinueve años y no me gusta guisar ni lavar. Bueno; pues todo el día he de estar haciendo lo que no me gusta. ¿Y para qué? ¿Qué necesidad tiene mi marido de ser mi marido? Porque lo mismo hacíamos de novios que ahora. Tonterías de los viejos.

YERMA

Calla, no digas esas cosas.

MUCHACHA 2.ª

También tú me dirás loca, ¡la loca, la loca! *(Ríe.)*
Yo te puedo decir lo único que he aprendido en la
vida: toda la gente está metida dentro de sus casas
haciendo lo que no les gusta. Cuánto mejor se está
en medio de la calle. Ya voy al arroyo, ya subo a
tocar las campanas, ya me tomo un refresco de anís.

YERMA

Eres una niña.

MUCHACHA 2.ª

Claro, pero no estoy loca. *(Ríe.)*

YERMA

¿Tu madre vive en la puerta más alta del pueblo?

MUCHACHA 2.ª

Sí.

YERMA

¿En la última casa?

MUCHACHA 2.ª

Sí.

YERMA

¿Cómo se llama?

MUCHACHA 2.ª

Dolores. ¿Por qué preguntas?

YERMA

Por nada.

MUCHACHA 2.ª

Por algo preguntarás.

YERMA

No sé..., es un decir...

MUCHACHA 2.ª

Allá tú... Mira, me voy a dar la comida a mi marido. *(Ríe.)* Es lo que hay que ver. Qué lástima no poder decir mi novio, ¿verdad? *(Ríe.)* ¡Ya se va la loca! *(Se va riendo alegremente.)* ¡Adiós!

VOZ DE VÍCTOR
(Cantando)

¿Por qué duermes solo, pastor?
¿Por qué duermes solo, pastor?
En mi colcha de lana
dormirías mejor.
¿Por qué duermes solo, pastor?

YERMA
(Escuchando)

¿Por qué duermes solo, pastor?
En mi colcha de lana
dormirías mejor.
Tu colcha de oscura piedra,
    pastor,
y tu camisa de escarcha,
    pastor,
juncos grises del invierno
en la noche de tu cama.

Los robles ponen agujas,
        pastor,
debajo de tu almohada,
        pastor,
y si oyes voz de mujer
es la rota voz del agua.
        Pastor, pastor.
¿Qué quiere el monte de ti?,
        pastor.
Monte de hierbas amargas,
¿qué niño te está matando?
¡La espina de la retama!

(Va a salir y se tropieza con VÍCTOR, *que entra.)*

VÍCTOR
(Alegre)

¿Dónde va lo hermoso?

YERMA

¿Cantabas tú?

VÍCTOR

Yo.

YERMA

¡Qué bien! Nunca te había sentido.

VÍCTOR

¿No?

YERMA

Y qué voz tan pujante. Parece un chorro de agua
que te llena toda la boca.

VÍCTOR

Soy alegre.

YERMA

Es verdad.

VÍCTOR

Como tú triste.

YERMA

No soy triste; es que tengo motivos para estarlo.

VÍCTOR

Y tu marido más triste que tú.

YERMA

Él, sí. Tiene un carácter seco.

VÍCTOR

Siempre fue igual. *(Pausa.* YERMA *está sentada.)*
¿Viniste a traer la comida?

YERMA

Sí. *(Lo mira. Pausa.)* ¿Qué tienes aquí? *(Señala
la cara.)*

VÍCTOR

¿Dónde?

YERMA

(Se levanta y se acerca a VÍCTOR)

Aquí..., en la mejilla; como una quemadura.

VÍCTOR

No es nada.

YERMA

Me ha parecido.

(Pausa.)

VÍCTOR

Debe ser el sol...

YERMA

Quizá...

(*Pausa. El silencio se acentúa y sin el menor gesto comienza una lucha entre los dos personajes.*)

YERMA

(*Temblando*)

¿Oyes?

VÍCTOR

¿Qué?

YERMA

¿No sientes llorar?

VÍCTOR

(*Escuchando*)

No.

YERMA

Me había parecido que lloraba un niño.

VÍCTOR

¿Sí?

YERMA

Muy cerca. Y lloraba como ahogado.

VÍCTOR

Por aquí hay siempre muchos niños que vienen a robar fruta.

YERMA

No. Es la voz de un niño pequeño.

(*Pausa.*)

VÍCTOR

No oigo nada.

YERMA

Serán ilusiones mías. *(Lo mira fijamente, y* VÍCTOR *la mira también y desvía la mirada lentamente, como con miedo.)*

(Sale JUAN.*)*

JUAN

¿Qué haces todavía aquí?

YERMA

Hablaba.

VÍCTOR

Salud. *(Sale.)*

JUAN

Debías estar en casa.

YERMA

Me entretuve.

JUAN

No comprendo en qué te has entretenido.

YERMA

Oí cantar los pájaros.

JUAN

Está bien. Así darás que hablar a las gentes.

YERMA
(Fuerte)

Juan, ¿qué piensas?

JUAN

No lo digo por ti, lo digo por las gentes.

(swore)

YERMA

¡Puñalada que le den a las gentes!

JUAN

No maldigas. Está feo en una mujer.

YERMA

Ojalá fuera yo una mujer.

JUAN

Vamos a dejarnos de conversación. Vete a la casa.

(Pausa.)

YERMA

Está bien. ¿Te espero?

should be sleeping with Yerma

JUAN irrigating

water

No. Estaré toda la noche regando. Viene poca agua, es mía hasta la salida del sol y tengo que defenderla de los ladrones. Te acuestas y te duermes.

YERMA
(Dramática)

¡Me dormiré! *(Sale.)*

frustration

Telón

ACTO SEGUNDO

CUADRO I

Canto a telón corrido. Torrente donde lavan las mujeres del pueblo. Las LAVANDERAS *están situadas en varios planos. Cantan*

En el arroyo frío
lavo tu cinta, *lace*
como un jazmín caliente
tienes la risa.

LAVANDERA 1.ª

A mí no me gusta hablar.

LAVANDERA 3.ª

Pero aquí se habla.

LAVANDERA 4.ª

Y no hay mal en ello.

LAVANDERA 5.ª

La que quiera honra, que la gane.

LAVANDERA 4.ª

Yo planté un tomillo, yo lo vi crecer.
El que quiera honra, que se porte bien.

(Ríen.)

LAVANDERA 5.ª

Así se habla.

LAVANDERA 1.ª

Pero es que nunca se sabe nada.

LAVANDERA 4.ª

Lo cierto es que el marido se ha llevado a vivir con
ellos a sus dos hermanas.

LAVANDERA 5.ª

¿Las solteras?

LAVANDERA 4.ª

Sí. Estaban encargadas de cuidar la iglesia y ahora
cuidan de su cuñada. Yo no podría vivir con ellas.

LAVANDERA 1.ª

¿Por qué?

LAVANDERA 4.ª

Porque dan miedo. Son como esas hojas grandes
que nacen de pronto sobre los sepulcros. Están unta-
das con cera. Son metidas hacia adentro. Se me figura
que guisan su comida con el aceite de las lámparas.

LAVANDERA 3.ª

¿Y están ya en la casa?

LAVANDERA 4.ª

Desde ayer. El marido sale otra vez a sus tierras.

LAVANDERA 1.ª

Pero ¿se puede saber lo que ha ocurrido?

LAVANDERA 5.ª

Anteanoche, ella la pasó sentada en el tranco, a
pesar del frío.

LAVANDERA 1.ª

Pero ¿por qué?

LAVANDERA 4.ª

Le cuesta trabajo estar en su casa.

LAVANDERA 5.ª

Estas machorras son así: cuando podían estar
haciendo encajes o confituras de manzanas, les gusta
subirse al tejado y andar descalzas por esos ríos.

LAVANDERA 1.ª

¿Quién eres tú para decir estas cosas? Ella no tiene
hijos, pero no es por culpa suya.

LAVANDERA 4.ª

Tiene hijos la que quiere tenerlos. Es que las rega-
lonas, las flojas, las endulzadas, no son a propósito
para llevar el vientre arrugado. (Ríen.)

LAVANDERA 3.ª

Y se echan polvos de blancura y colorete y se pren-
den ramos de adelfa en busca de otro que no es su
marido.

LAVANDERA 5.ª

¡No hay otra verdad!

LAVANDERA 1.ª

Pero ¿vosotras la habéis visto con otro?

LAVANDERA 4.ª

Nosotras no, pero las gentes sí.

LAVANDERA 1.ª

¡Siempre las gentes!

LAVANDERA 5.ª

Dicen que en dos ocasiones.

LAVANDERA 2.ª

¿Y qué hacían?

LAVANDERA 4.ª

Hablaban.

LAVANDERA 1.ª

Hablar no es pecado.

LAVANDERA 4.ª

Hay una cosa en el mundo que es la mirada. Mi
madre lo decía. No es lo mismo una mujer mirando
una rosas que una mujer mirando los muslos de un
hombre. Ella lo mira.

LAVANDERA 1.ª

Pero ¿a quién?

LAVANDERA 4.ª

A uno, ¿lo oyes? Entérate tú, ¿quieres que lo diga
más alto? (Risas.) Y cuando no lo mira, porque está

sola, porque no lo tiene delante, lo lleva retratado en
los ojos.

LAVANDERA 1.ª

¡Eso es mentira!

(Algazara.)

LAVANDERA 5.ª

¿Y el marido?

LAVANDERA 3.ª

El marido está como sordo. Parado, como un la-
garto puesto al sol.

(Ríen.)

LAVANDERA 1.ª

Todo esto se arreglaría si tuvieran criaturas.

LAVANDERA 2.ª

Todo esto son cuestiones de gente que no tiene con-
formidad con su sino.

LAVANDERA 4.ª

Cada hora que transcurre aumenta el infierno en
aquella casa. Ella y sus cuñadas, sin despegar los labios, blanquean todo el día las paredes, friegan los
cobres, limpian con vaho los cristales, dan aceite a
la solería, pues cuando más relumbra la vivienda
más arde por dentro.

LAVANDERA 1.ª

Él tiene la culpa, él; cuando un padre no da hijos
debe cuidar de su mujer.

LAVANDERA 4.ª

La culpa es de ella, que tiene por lengua un pedernal.

LAVANDERA 1.ª

¿Qué demonio se te ha metido entre los cabellos para que hables así?

LAVANDERA 4.ª

¿Y quién ha dado licencia a tu boca para que me des consejos?

LAVANDERA 2.ª

¡Callar!

LAVANDERA 1.ª

Con una aguja de hacer calceta ensartaría yo las lenguas murmuradoras.

LAVANDERA 2.ª

¡Calla!

LAVANDERA 4.ª

Y yo la tapa del pecho de las fingidas.

LAVANDERA 2.ª

Silencio. ¿No ves que por ahí vienen las cuñadas?

> *(Murmullos. Entran las dos* CUÑADAS *de* YER-MA. *Van vestidas de luto. Se ponen a lavar en medio de un silencio. Se oyen esquilas.)*

LAVANDERA 1.ª

¿Se van ya los zagales?

LAVANDERA 3.ª

Sí, ahora salen todos los rebaños.

LAVANDERA 4.ª
(Aspirando)

Me gusta el olor de las ovejas.

LAVANDERA 3.ª

¿Sí?

LAVANDERA 4.ª

¿Y por qué no? Olor de lo que una tiene. Cómo me gusta el olor del fango rojo que trae el río por el invierno.

LAVANDERA 3.ª

Caprichos.

LAVANDERA 5.ª
(Mirando)

Van juntos todos los rebaños.

LAVANDERA 4.ª

Es una inundación de lana. Arramblan con todo. Si los trigos verdes tuvieran cabeza, temblarían de verlos venir.

LAVANDERA 3.ª

¡Mira cómo corren! ¡Qué manada de enemigos!

LAVANDERA 1.ª

Ya salieron todos, no falta uno.

LAVANDERA 4.ª

A ver... No... Sí, sí, falta uno.

LAVANDERA 5.ª

¿Cuál?...

LAVANDERA 4.ª

El de Víctor.

(Las dos CUÑADAS *se yerguen y miran.)*

En el arroyo frío
lavo tu cinta.
Como un jazmín caliente
tienes la risa.
Quiero vivir
en la nevada chica
de ese jazmín.

LAVANDERA 1.ª

¡Ay de la casada seca!
¡Ay de la que tiene los pechos de arena!

LAVANDERA 5.ª

Dime si tu marido
guarda semilla
para que el agua cante
por tu camisa.

LAVANDERA 4.ª

Es tu camisa
nave de plata y viento
por las orillas.

LAVANDERA 1.ª

Las ropas de mi niño
vengo a lavar
para que tome al agua
lecciones de cristal.

LAVANDERA 2.ª

Por el monte ya llega
mi marido a comer.
Él me trae una rosa
y yo le doy tres.

LAVANDERA 5.ª

Por el llano ya vino
mi marido a cenar.
Las brisas que me entrega
cubro con arrayán.

LAVANDERA 4.ª

Por el aire ya viene
mi marido a dormir.
Yo alhelíes rojos
y él rojo alhelí.

LAVANDERA 1.ª

Hay que juntar flor con flor
cuando el verano seca la sangre al segador.

LAVANDERA 4.ª

Y abrir el vientre a pájaros sin sueño
cuando a la puerta llama temblando el invierno.

LAVANDERA 1.ª

Hay que gemir en la sábana.

LAVANDERA 4.ª

¡Y hay que cantar!

LAVANDERA 5.ª

Cuando el hombre nos trae
la corona y el pan.

LAVANDERA 4.ª

Porque los brazos se enlazan.

LAVANDERA 2.ª

Porque la luz se nos quiebra en la garganta.

LAVANDERA 4.ª

Porque se endulza el tallo de las ramas.

LAVANDERA 1.ª

Y las tiendas del viento cubren a las montañas.

LAVANDERA 6.ª
(Apareciendo en lo alto del torrente)

Para que un niño funda
yertos vidrios del alba.

LAVANDERA 1.ª

Y nuestro cuerpo tiene
ramas furiosas de coral.

LAVANDERA 6.ª

Para que haya remeros
en las aguas del mar.

LAVANDERA 1.ª

Un niño pequeño, un niño.

LAVANDERA 2.ª

Y las palomas abren las alas y el pico.

LAVANDERA 3.ª

Un niño que gime, un hijo.

LAVANDERA 4.ª

Y los hombres avanzan
como ciervos heridos.

LAVANDERA 5.ª

¡Alegría, alegría, alegría,
del vientre redondo bajo la camisa!

LAVANDERA 2.ª

¡Alegría, alegría, alegría,
ombligo, cáliz tierno de maravilla!

LAVANDERA 1.ª

Pero ¡ay de la casada seca!
¡Ay de la que tiene los pechos de arena!

LAVANDERA 3.ª

¡Que relumbre!

LAVANDERA 2.ª

¡Que corra!

LAVANDERA 5.ª

¡Que vuelva a relumbrar!

LAVANDERA 1.ª

¡Que cante!

LAVANDERA 2.ª

¡Que se esconda!

LAVANDERA 1.ª

Y que vuelva a cantar.

LAVANDERA 6.ª

La aurora que mi niño
lleva en el delantal.

LAVANDERA 2.ª
(Cantan todas a coro)

En el arroyo frío
lavo tu cinta.
Como un jazmín caliente
tienes la risa.
¡Ja, ja, ja!

(Mueven los paños con ritmo y los golpean.)

Telón

CUADRO II

Casa de YERMA. *Atardece.* JUAN *está sentado.*
Las dos CUÑADAS, *de pie*

JUAN

¿Dices que salió hace poco? (*La* HERMANA *mayor contesta con la cabeza.*) Debe de estar en la fuente. Pero ya sabéis que no me gusta que salga sola. (*Pausa.*) Puedes poner la mesa. (*Sale la* HERMANA *menor.*) Bien ganado tengo el pan que como. (*A su* HERMANA.) Ayer pasé un día duro. Estuve podando los manzanos y a la caída de la tarde me puse a pensar para qué pondría yo tanta ilusión en la faena si no puedo llevarme una manzana a la boca. Estoy harto. (*Se pasa la mano por la cara. Pausa.*) Esa no viene... Una de vosotras debía salir con ella, porque para eso estáis aquí comiendo en mi mantel y bebiendo mi vino. Mi vida está en el campo, pero mi honra está aquí. Y mi honra es también la vuestra. (*La* HERMANA *inclina la cabeza.*) No lo tomes a mal. (*Entra* YERMA *con dos cántaros. Queda parada en la puerta.*) ¿Vienes de la fuente?

YERMA

Para tener agua fresca en la comida. (*Sale la otra*
HERMANA.) ¿Cómo están las tierras?

JUAN

Ayer estuve podando los árboles.

> (YERMA *deja los cántaros. Pausa.*)

YERMA

¿Te quedarás?

JUAN

He de cuidar el ganado. Tú sabes que esto es cosa
del dueño.

YERMA

Lo sé muy bien. No lo repitas.

JUAN

Cada hombre tiene su vida.

YERMA

Y cada mujer la suya. No te pido yo que te quedes.
Aquí tengo todo lo que necesito. Tus hermanas me
guardan bien. Pan tierno y requesón y cordero asado
como yo aquí, y pasto lleno de rocío tus ganados en
el monte. Creo que puedes vivir en paz.

JUAN

Para vivir en paz se necesita estar tranquilo.

YERMA

¿Y tú no estás?

JUAN

No estoy.

YERMA

Desvía la intención.

JUAN

¿Es que no conoces mi modo de ser? Las ovejas en el redil y las mujeres en su casa. Tú sales demasiado. ¿No me has oído decir esto siempre?

YERMA

Justo. Las mujeres dentro de sus casas. Cuando las casas no son tumbas. Cuando las sillas se rompen y las sábanas de hilo se gastan con el uso. Pero aquí, no. Cada noche, cuando me acuesto, encuentro mi cama más nueva, más reluciente, como si estuviera recién traída de la ciudad.

JUAN

Tú misma reconoces que tengo razón al quejarme. ¡Que tengo motivos para estar alerta!

YERMA

Alerta, ¿de qué? En nada te ofendo. Vivo sumisa a ti, y lo que sufro lo guardo pegado a mis carnes. Y cada día que pase será peor. Vamos a callarnos. Yo sabré llevar mi cruz como mejor pueda, pero no me preguntes nada. Si pudiera de pronto volverme vieja y tuviera la boca como una flor machacada, te podría sonreír y conllevar la vida contigo. Ahora, ahora déjame con mis clavos.

He can't understand! Life = material good
to him but he does not
172 understand passion   FEDERICO GARCÍA LORCA

JUAN

Hablas de una manera que yo no te entiendo. No te
privo de nada. Mando a los pueblos vecinos por las
cosas que te gustan. Yo tengo mis defectos, pero quiero tener paz y sosiego contigo. Quiero dormir fuera
y pensar que tú duermes también.

YERMA

Pero yo no duermo, yo no puedo dormir.

JUAN

¿Es que te falta algo? Dime. ¡Contesta!

YERMA

(Con intención y mirando fijamente al marido)
Sí, me falta.

(Pausa.)

JUAN

Siempre lo mismo. Hace ya más de cinco años. Yo
casi lo estoy olvidando.

YERMA

Pero yo no soy tú. Los hombres tienen otra vida:
los ganados, los árboles, las conversaciones, y las mujeres no tenemos más que esta de la cría y el cuido
de la cría.

JUAN

Cannot realise that she wants

Todo el mundo no es igual. ¿Por qué no te traes
un hijo de tu hermano? Yo no me opongo.

her own child - children to him are just an object.

YERMA

No quiero cuidar hijos de otros. Me figuro que se
me van a helar los brazos de tenerlos.

He is an insensitive pragmatist
she is more sensual + deep.

JUAN

Con ese achaque vives alocada, sin pensar en lo que debías, y te empeñas en meter la cabeza por una roca.

YERMA

Roca que es una infamia que sea roca, porque debía ser un canasto de flores y agua dulce.

JUAN

Estando a tu lado no se siente más que inquietud, desasosiego. En último caso debes resignarte.

YERMA

Yo he venido a estas cuatro paredes para no resignarme. Cuando tenga la cabeza atada con un pañuelo para que no se me abra la boca, y las manos bien amarradas dentro del ataúd, en esa hora me habré resignado.

JUAN

Entonces, ¿qué quieres hacer?

YERMA

Quiero beber agua y no hay vaso ni agua, quiero subir al monte y no tengo pies, quiero bordar mis enaguas y no encuentro los hilos.

JUAN

Lo que pasa es que no eres una mujer verdadera y buscas la ruina de un hombre sin voluntad.

YERMA

Yo no sé quién soy. Déjame andar y desahogarme. En nada te he faltado.

JUAN

No me gusta que la gente me señale. Por eso quiero ver cerrada esa puerta y cada persona en su casa.

(Sale la HERMANA 1.ª *lentamente y se acerca a una alacena.)*

YERMA

Hablar con la gente no es pecado.

JUAN

Pero puede parecerlo.

(Sale la otra HERMANA *y se dirige a los cántaros, en los cuales llena una jarra.)*

JUAN

(Bajando la voz)

Yo no tengo fuerzas para estas cosas. Cuando te den conversación cierra la boca y piensa que eres una mujer casada.

YERMA

(Con asombro)

¡Casada!

JUAN

Y que las familias tienen honra y la honra es una carga que se lleva entre todos. *(Sale la* HERMANA *con la jarra, lentamente.)* Pero que está oscura y débil en los mismos caños de la sangre. *(Sale la otra* HERMANA *con una fuente de modo casi procesional. Pausa.)* Perdóname. *(*YERMA *mira a su marido, éste levanta*

la cabeza y se tropieza con la mirada.) Aunque me miras de un modo que no debía decirte «Perdóname», sino obligarte, encerrarte, porque para eso soy el marido.

(*Aparecen las dos* HERMANAS *en la puerta.*)

YERMA

Te ruego que no hables. Deja quieta la cuestión.

(*Pausa.*)

JUAN

Vamos a comer. (*Entran las* HERMANAS.) ¿Me has oído?

YERMA
(*Dulce*)

Come tú con tus hermanas. Yo no tengo hambre todavía.

JUAN

Lo que quieras. (*Entra.*)

YERMA
(*Como soñando*)

¡Ay, qué prado de pena!
¡Ay, qué puerta cerrada a la hermosura!,
que pido un hijo que sufrir, y el aire
me ofrece dalias de dormida luna.
Estos dos manantiales que yo tengo
de leche tibia son en la espesura
de mi carne dos pulsos de caballo
que hacen latir la rama de mi angustia.
¡Ay, pechos ciegos bajo mi vestido!
¡Ay, palomas sin ojos ni blancura!

¡Ay, qué dolor de sangre prisionera
me está clavando avispas en la nuca!
Pero tú has de venir, amor, mi niño,
porque el agua da sal, la tierra fruta,
y nuestro vientre guarda tiernos hijos,
como la nube lleva dulce lluvia.

(Mira hacia la puerta.)

¡María! ¿Por qué pasas tan de prisa por mi puerta?

MARÍA
(Entra con un niño en brazos)

Cuando voy con el niño lo hago..., ¡como siempre
lloras!...

YERMA

Tienes razón. *(Coge al niño y se sienta.)*

MARÍA

Me da tristeza que tengas envidia.

YERMA

No es envidia lo que tengo; es pobreza.

MARÍA

No te quejes.

YERMA

¡Cómo no me voy a quejar cuando te veo a ti y a
otras mujeres llenas por dentro de flores, y viéndome
yo inútil en medio de tanta hermosura!

MARÍA

Pero tienes otras cosas. Si me oyeras podrías ser
feliz.

Yerma

La mujer del campo que no da hijos es inútil como un manojo de espinos, y hasta mala, a pesar de que yo sea de este desecho dejado de la mano de Dios. (MARÍA *hace un gesto como para tomar al niño.*) Tómalo, contigo está más a gusto. Yo no debo tener manos de madre.

María

¿Por qué me dices eso?

Yerma
(Se levanta)

Porque estoy harta. Porque estoy harta de tenerlas y no poderlas usar en cosa propia. Que estoy ofendida, ofendida y rebajada hasta lo último, viendo que los trigos apuntan, que las fuentes no cesan de dar agua y que paren las ovejas cientos de corderos, y las perras, y que parece que todo el campo puesto de pie me enseña sus crías tiernas, adormiladas, mientras yo siento dos golpes de martillo aquí en lugar de la boca de mi niño.

María

No me gusta lo que dices.

Yerma

Las mujeres cuando tenéis hijos no podéis pensar en las que no los tenemos. Os quedáis frescas, ignorantes, como el que nada en agua dulce y no tiene idea de la sed.

María

No te quiero decir lo que te digo siempre.

YERMA

Cada vez tengo más deseos y menos esperanzas.

MARÍA

Mala cosa.

YERMA

Acabaré creyendo que yo misma soy mi hijo. Muchas noches bajo yo a echar la comida a los bueyes, que antes no lo hacía, porque ninguna mujer lo hace, y cuando paso por lo oscuro del cobertizo mis pasos me suenan a pasos de hombre.

MARÍA

Cada criatura tiene su razón.

YERMA

A pesar de todo, sigue queriéndome. ¡Ya ves cómo vivo!

MARÍA

¿Y tus cuñadas?

YERMA

Muerta me vea y sin mortaja si alguna vez las dirijo la conversación.

MARÍA

¿Y tu marido?

YERMA

Son tres contra mí.

MARÍA

¿Qué piensan?

YERMA

Figuraciones. De gente que no tiene la conciencia tranquila. Creen que me puede gustar otro hombre v

no saben que, aunque me gustara, lo primero de mi
casta es la honradez. Son piedras delante de mí. Pero
ellos no saben que yo, si quiero, puedo ser agua de
arroyo que las lleve.

(Una HERMANA entra y sale llevando un pan.)

MARÍA

De todas maneras, creo que tu marido te sigue
queriendo.

YERMA

Mi marido me da pan y casa.

MARÍA

¡Qué trabajos estás pasando, qué trabajos! Pero
acuérdate de las llagas de Nuestro Señor. (Están en
la puerta.)

YERMA
(Mirando al niño)

Ya ha despertado.

MARÍA

Dentro de poco empezará a cantar.

YERMA

Los mismos ojos que tú, ¿lo sabías? ¿Los has visto?
(Llorando.) ¡Tiene los mismos ojos que tienes tú!
(YERMA empuja suavemente a MARÍA y esta sale silen-
ciosa. YERMA se dirige a la puerta por donde entró
su marido.)

MUCHACHA 2.

Chiss.

YERMA
(Volviéndose)

¿Qué?

MUCHACHA 2.ª

Esperé a que saliera. Mi madre te está aguardando.

YERMA

¿Está sola?

MUCHACHA 2.ª

Con dos vecinas.

YERMA

Dile que espere un poco.

MUCHACHA 2.ª

Pero ¿vas a ir? ¿No te da miedo?

YERMA

Voy a ir.

MUCHACHA 2.ª

¡Allá tú!

YERMA

¡Que me esperen aunque sea tarde!

(Entra VÍCTOR.)

VÍCTOR

¿Está Juan?

YERMA

Sí.

MUCHACHA 2.ª
(Cómplice)

Entonces, luego, yo traeré la blusa.

YERMA

Cuando quieras. (*Sale la* MUCHACHA.) Siéntate.

VÍCTOR

Estoy bien así.

YERMA
(Llamando)

¡Juan!

VÍCTOR

Vengo a despedirme. *(Se estremece ligeramente, pero vuelve a su serenidad.)*

YERMA

¿Te vas con tus hermanos?

VÍCTOR

Así lo quiere mi padre.

Patriarchal.

YERMA

Ya debe estar viejo.

VÍCTOR

Sí. Muy viejo.

(Pausa.)

YERMA

Haces bien de cambiar de campos.

VÍCTOR

Todos los campos son iguales.

YERMA

No. Yo me iría muy lejos.

VÍCTOR

Es todo lo mismo. Las mismas ovejas tienen la misma lana.

YERMA

Para los hombres, sí; pero las mujeres somos otra cosa. Nunca oí decir a un hombre comiendo: qué buenas son estas manzanas. Vais a lo vuestro sin reparar en las delicadezas. De mí sé decir: que he aborrecido el agua de estos pozos.

VÍCTOR

Puede ser.

(La escena está en una suave penumbra.)

YERMA

Víctor.

VÍCTOR

Dime.

YERMA

¿Por qué te vas? Aquí las gentes te quieren.

VÍCTOR

Yo me porté bien.

(Pausa.)

YERMA

Te portaste bien. Siendo zagalón me llevaste una vez en brazos, ¿no recuerdas? Nunca se sabe lo que va a pasar.

VÍCTOR

Todo cambia.

YERMA

Algunas cosas no cambian. Hay cosas encerradas detrás de los muros que no pueden cambiar porque nadie las oye.

VÍCTOR

Así es.

(Aparece la HERMANA 2.ª *y se dirige lentamente hacia la puerta, donde queda fija, iluminada por la última luz de la tarde.)*

YERMA

Pero que si salieran de pronto y gritaran, llenarían el mundo.

VÍCTOR

No se adelantaría nada. La acequia por su sitio, el rebaño en el redil, la luna en el cielo y el hombre con su arado.

YERMA

¡Qué pena más grande no poder sentir las enseñanzas de los viejos!

(Se oye el sonido largo y melancólico de las caracolas de los pastores.)

VÍCTOR

Los rebaños.

JUAN
(Sale)

¿Vas ya de camino?

VÍCTOR

Y quiero pasar el puerto antes del amanecer.

JUAN

¿Llevas alguna queja de mí?

VÍCTOR

No. Fuiste buen pagador.

JUAN
(A YERMA)

Le compré los rebaños.

YERMA

¿Sí?

VÍCTOR
(A YERMA)

Tuyos son.

YERMA

No lo sabía.

JUAN
(Satisfecho)

Así es.

VÍCTOR

Tu marido ha de ver su hacienda colmada.

YERMA

El fruto viene a las manos del trabajador que lo busca.

(La HERMANA que está en la puerta entra dentro.)

JUAN

Ya no tenemos sitio donde meter tantas ovejas.

YERMA
(Sombría)

La tierra es grande.

(Pausa.)

JUAN

Iremos juntos hasta el arroyo.

VÍCTOR

Deseo la mayor felicidad para esta casa. (Le da la mano a YERMA.)

YERMA

¡Dios te oiga! ¡Salud!

> (VÍCTOR *le da salida y, a un movimiento imper-*
> *ceptible de* YERMA, *se vuelve.*)

VÍCTOR

¿Decías algo?

YERMA
(Dramática)

Salud, dije.

VÍCTOR

Gracias.

> (*Salen.* YERMA *queda angustiada, mirándose la*
> *mano que ha dado a* VÍCTOR. YERMA *se dirige*
> *rápidamente hacia la izquierda y toma un*
> *mantón.*)

MUCHACHA 2.ª

Vamos. *(En silencio, tapándole la cabeza.)*

YERMA

Vamos. *(Salen sigilosamente.)*

> (*La escena está casi a oscuras. Sale la* HER-
> MANA 1.ª *con un velón, que no debe dar al tea-*
> *tro luz ninguna, sino la natural que lleva. Se*
> *dirige al fin de la escena, buscando a* YERMA.
> *Suenan las caracolas de los rebaños.*)

CUÑADA 1.ª
(En voz baja)

¡Yerma!

> (*Sale la* HERMANA 2.ª *Se miran las dos y se*
> *dirigen hacia la puerta.*)

CUÑADA 2.ª
(Más alto)

¡Yerma!

CUÑADA 1.ª
(Dirigiéndose a la puerta y con una imperiosa voz)

¡Yerma!

(Se oyen las caracolas y los cuernos de los pastores. La escena está oscurísima.)

Telón

A C T O T E R C E R O

CUADRO I

Casa de la DOLORES, *la conjuradora. Está amaneciendo.*
Entra YERMA *con* DOLORES *y dos* VIEJAS

DOLORES
Has estado valiente.

VIEJA 1.ª
No hay en el mundo fuerza como la del deseo.

VIEJA 2.ª
Pero el cementerio estaba demasiado oscuro.

DOLORES
Muchas veces yo he hecho estas oraciones en el cementerio con mujeres que ansiaban críos, y todas han pasado miedo. Todas menos tú.

YERMA
Yo he venido por el resultado. Creo que no eres mujer engañadora.

DOLORES
No soy. Que mi lengua se llene de hormigas, como está la boca de los muertos, si alguna vez he mentido.

La última vez hice la oración con una mujer mendi-
cante que estaba seca más tiempo que tú, y se le
endulzó el vientre de manera tan hermosa que tuvo
dos criaturas ahí abajo en el río, porque no le daba
tiempo de llegar a las casas, y ella misma las trajo
en un pañal para que yo las arreglase.

YERMA

¿Y pudo venir andando desde el río?

DOLORES

Vino. Con los zapatos y las enaguas empapadas en
sangre..., pero con la cara reluciente.

YERMA

¿Y no le pasó nada?

DOLORES

¿Qué le iba a pasar? Dios es Dios.

YERMA

Naturalmente, Dios es Dios. No le podía pasar
nada. Sino agarrar las criaturas y lavarlas con agua
viva. Los animales los lamen, ¿verdad? A mí no me
da asco de mi hijo. Yo tengo la idea de que las recién
paridas están como iluminadas por dentro y los niños
se duermen horas y horas sobre ellas, oyendo ese
arroyo de leche tibia que les va llenando los pechos
para que ellos mamen, para que ellos jueguen hasta
que no quieran más, hasta que retiren la cabeza:

«Otro poquito más, niño...», y se les llene la cara y el
pecho de gotas blancas.

DOLORES

Ahora tendrás un hijo. Te lo puedo asegurar.

YERMA

Lo tendré porque lo tengo que tener. O no entiendo
el mundo. A veces, cuando ya estoy segura de que
jamás, jamás..., me sube como una oleada de fuego
por los pies y se me quedan vacías todas las cosas, y
los hombres que andan por la calle y los toros y las
piedras me parecen como cosas de algodón. Y me pregunto: «¿Para qué estarán ahí puestos?»

VIEJA 1.ª

Está bien que una casada quiera hijos, pero si no
los tienes, ¿por qué esa ansia de ellos? Lo importante
de este mundo es dejarse llevar por los años. No te
critico. Ya has visto cómo he ayudado a los rezos.
Pero ¿qué vega esperas dar a tu hijo ni qué felicidad
ni qué silla de plata?

YERMA

Yo no pienso en el mañana, pienso en el hoy. Tú
estás vieja y lo ves ya todo como un libro leído. Yo
pienso que tengo sed y no tengo libertad. Yo quiero
tener a mi hijo en los brazos para dormir tranquila,
y óyelo bien y no te espantes de lo que digo: aunque
ya supiera que mi hijo me iba a martirizar después
y me iba a odiar y me iba a llevar de los cabellos por
las calles, recibiría con gozo su nacimiento, porque es

mucho mejor llorar por un hombre vivo que nos apuñala que llorar por este fantasma sentado año tras año encima de mi corazón.

VIEJA 1.ª

Eres demasiado joven para oír consejo. Pero mientras esperas la gracia de Dios debes ampararte en el amor de tu marido.

YERMA

¡Ay! Has puesto el dedo en la llaga más honda que tienen mis carnes.

DOLORES

Tu marido es bueno.

YERMA
(Se levanta)

¡Es bueno! ¡Es bueno! ¿Y qué? Ojalá fuera malo. Pero no. Él va con sus ovejas por sus caminos y cuenta el dinero por las noches. Cuando me cubre cumple con su deber, pero yo le noto la cintura fría, como si tuviera el cuerpo muerto, y yo, que siempre he tenido asco de las mujeres calientes, quisiera ser en aquel instante como una montaña de fuego.

DOLORES

¡Yerma!

YERMA

No soy una casada indecente; pero yo sé que los hijos nacen del hombre y de la mujer. ¡Ay, si los pudiera tener yo sola!

DOLORES

Piensa que tu marido también sufre.

YERMA

No sufre. Lo que pasa es que él no ansía hijos.

VIEJA 1.ª

¡No digas eso!

YERMA

Se lo conozco en la mirada, y como no los ansía, no me los da. No lo quiero, no lo quiero y, sin embargo, es mi única salvación. Por honra y por casta. Mi única salvación.

VIEJA 1.ª
(Con miedo)

Pronto empezará a amanecer. Debes irte a tu casa.

DOLORES

Antes de nada saldrán los rebaños y no conviene que te vean sola.

YERMA

Necesitaba este desahogo. ¿Cuántas veces repito las oraciones?

DOLORES

La oración del laurel dos veces, y al mediodía la oración de Santa Ana. Cuando te sientas encinta me traes la fanega de trigo que me has prometido.

VIEJA 1.ª

Por encima de los montes ya empieza a clarear. Vete.

DOLORES

Como en seguida empezarán a abrir los portones,
te vas dando un rodeo por la acequia.

YERMA
(Con desaliento)

¡No sé por qué he venido!

DOLORES

¿Te arrepientes?

YERMA

¡No!

DOLORES
(Turbada)

Si tienes miedo te acompañaré hasta la esquina.

VIEJA 1.ª
(Con inquietud)

Van a ser las claras del día cuando llegues a tu
puerta.

(Se oyen voces.)

DOLORES

¡Calla! *(Escuchan.)*

VIEJA 1.ª

No es nadie. Anda con Dios.

*(YERMA se dirige a la puerta, y en este momen-
to llaman a ella. Las tres mujeres quedan pa-
radas.)*

DOLORES

¿Quién es?

VOZ

Soy yo.

YERMA

Abre. (DOLORES *duda*.) ¿Abres o no?

> (*Se oyen murmullos. Aparece* JUAN *con las dos*
> CUÑADAS.)

CUÑADA 2.ª

Aquí está.

YERMA

Aquí estoy.

JUAN

¿Qué haces en este sitio? Si pudiera dar voces levantaría a todo el pueblo para que viera dónde iba la honra de mi casa; pero he de ahogarlo todo y callarme, porque eres mi mujer.

YERMA

Si pudiera dar voces también las daría yo para que se levantaran hasta los muertos y vieran esta limpieza que me cubre.

JUAN

¡No, eso no! Todo lo aguanto menos eso. Me engañas, me envuelves y como soy un hombre que trabaja la tierra, no tengo ideas para tus astucias.

DOLORES

¡Juan!

JUAN

¡Vosotras, ni palabra!

DOLORES
(Fuerte)

Tu mujer no ha hecho nada malo.

JUAN

Lo está haciendo desde el mismo día de la boda.
Mirándome con dos agujas, pasando las noches en
vela con los ojos abiertos al lado mío y llenando de
malos suspiros mis almohadas.

YERMA

¡Cállate!

JUAN

Y yo no puedo más. Porque se necesita ser de bron-
ce para ver a tu lado una mujer que te quiere meter
los dedos dentro del corazón y que se sale de noche
fuera de su casa, ¿en busca de qué? ¡Dime!, ¿buscando qué? Las calles están llenas de machos. En las
calles no hay flores que cortar.

YERMA

No te dejo hablar ni una sola palabra. Ni una más.
Te figuras tú y tu gente que sois vosotros los únicos
que guardáis honra, y no sabes que mi casta no ha
tenido nunca nada que ocultar. Anda. Acércate a mí
y huele mis vestidos; ¡acércate! A ver dónde encuen-
tras un olor que no sea tuyo, que no sea de tu cuerpo.
Me pones desnuda en mitad de la plaza y me escupes.
Haz conmigo lo que quieras, que soy tu mujer, pero
guárdate de poner nombre de varón sobre mis pechos.

JUAN

No soy yo quien lo pone, lo pones tú con tu conduc-
ta, y el pueblo lo empieza a decir. Lo empieza a decir
claramente. Cuando llego a un corro, todos callan;

cuando voy a pesar la harina, todos callan, y hasta de noche, en el campo, cuando despierto, me parece que también se callan las ramas de los árboles.

YERMA

Yo no sé por qué empiezan los malos aires que revuelcan al trigo, ¡y mira tú si el trigo es bueno!

JUAN

Ni yo sé lo que busca una mujer a todas horas fuera de su tejado.

YERMA
(En un arranque y abrazándose a su marido)

Te busco a ti. Te busco a ti, es a ti a quien busco día y noche, sin encontrar sombra donde respirar. Es tu sangre y tu amparo lo que deseo.

JUAN

Apártate.

YERMA

No me apartes y quiere conmigo.

JUAN

¡Quita!

YERMA

Mira que me quedo sola. Como si la luna se buscara ella misma por el cielo. ¡Mírame! *(Lo mira.)*

JUAN
(La mira y la aparta bruscamente)

¡Déjame ya de una vez!

DOLORES

¡Juan!

(YERMA *cae al suelo.*)

YERMA

(Alto)

Cuando salía por mis claveles me tropecé con el muro. ¡Ay! ¡Ay! Es en ese muro donde tengo que estrellar mi cabeza.

JUAN

Calla. Vamos.

DOLORES

¡Dios mío!

YERMA

(A gritos)

¡Maldito sea mi padre, que me dejó su sangre de padre de cien hijos! ¡Maldita sea mi sangre, que los busca golpeando por las paredes!

JUAN

¡Calla he dicho!

DOLORES

¡Viene gente! Habla bajo.

YERMA

No me importa. Dejarme libre siquiera la voz, ahora que voy entrando en lo más oscuro del pozo. *(Se levanta.)* Dejar que de mi cuerpo salga siquiera esta cosa hermosa y que llene el aire.

(Se oyen voces.)

DOLORES

Van a pasar por aquí.

JUAN

Silencio.

YERMA

¡Eso! ¡Eso! Silencio. Descuida.

JUAN

Vamos. ¡Pronto!

YERMA

¡Ya está! ¡Ya está! ¡Y es inútil que me retuerza las manos! Una cosa es querer con la cabeza...

wring

JUAN

Calla.

YERMA
(Bajo)

Una cosa es querer con la cabeza y otra cosa es que el cuerpo, ¡maldito sea el cuerpo!, no nos responda. Está escrito y no me voy a poner a luchar a brazo partido con los mares. ¡Ya está! ¡Que mi boca se quede muda! *(Sale.)*

Its one thing to want and another is the body.

Telón

yerma thinks that Juan cannot give her a child because he does not desire one enough

CUADRO II

*Alrededores de una ermita, en plena montaña. En primer tér-
mino, unas ruedas de carro y unas mantas y formando una
tienda rústica, donde está* YERMA. *Entran las* MUJERES *con
ofrendas a la ermita. Vienen descalzas. En escena está la*
VIEJA *alegre del primer acto. Canto a telón corrido*

No te pude ver
cuando eras soltera,
mas de casada
te encontraré.
Te desnudaré,
casada y romera,
cuando en lo oscuro
las doce den.

VIEJA
(Con sorna)

¿Habéis bebido ya el agua santa?

MUJER 1.ª

Sí.

VIEJA

Y ahora, a ver a ese.

MUJER 1.ª

Creemos en él.

VIEJA

Venís a pedir hijos al santo y resulta que cada año vienen más hombres solos a esta romería. ¿Qué es lo que pasa? *(Ríe.)*

MUJER 1.ª

¿A qué vienes aquí si no crees?

VIEJA

A ver. Yo me vuelvo loca por ver. Y a cuidar de mi hijo. El año pasado se mataron dos por una casada seca y quiero vigilar. Y, en último caso, vengo porque me da la gana.

MUJER 1.ª

¡Que Dios te perdone! *(Entran.)*

VIEJA
(Con sarcasmo)

Que te perdone a ti. *(Se va.)*

(Entra MARÍA *con la* MUCHACHA 1.ª*)*

MUCHACHA 1.ª

¿Y ha venido?

MARÍA

Ahí tienes el carro. Me costó mucho que vinieran. Ella ha estado un mes sin levantarse de la silla. Le tengo miedo. Tiene una idea que no sé cuál es, pero desde luego es una idea mala.

MUCHACHA 1.ª

Yo llegué con mi hermana. Lleva ocho años viniendo sin resultado.

MARÍA

Tiene hijos la que los tiene que tener.

MUCHACHA 2.ª

Es lo que yo digo.

(Se oyen voces.)

MARÍA

Nunca me gustó esta romería. Vamos a las eras, que es donde está la gente.

MUCHACHA 1.ª

El año pasado, cuando se hizo oscuro, unos mozos atenazaron con sus manos los pechos de mi hermana.

MARÍA

En cuatro leguas a la redonda no se oyen más que palabras terribles.

MUCHACHA 1.ª

Más de cuarenta toneles de vino he visto en las espaldas de la ermita.

MARÍA

Un río de hombres solos baja esas sierras.

(Salen. Se oyen voces. Entra YERMA con seis mujeres que van a la iglesia. Van descalzas y llevan cirios rizados; empieza el anochecer.)

YERMA

Señor, que florezca la rosa,
no me la dejéis en sombra.

MUJER 2.ª

Sobre su carne marchita
florezca la rosa amarilla.

YERMA

Y en el vientre de tus siervas
la llama oscura de la tierra.

CORO DE MUJERES

Señor, que florezca la rosa,
no me la dejéis en sombra.   *(Se arrodillan.)*

YERMA

El cielo tiene jardines
con rosales de alegría,
entre rosal y rosal
la rosa de maravilla.
Rayo de aurora parece,
y un arcángel la vigila,
las alas como tormentas,
los ojos como agonías.
Alrededor de sus hojas
arroyos de leche tibia
juegan y mojan la cara
de las estrellas tranquilas.
Señor, abre tu rosal
sobre mi carne marchita   *(Se levantan.)*

MUJER 2.ª

Señor, calma con tu mano
las ascuas de su mejilla.

YERMA

Escucha a la penitente
de tu santa romería.
Abre tu rosa en mi carne
aunque tenga mil espinas.

CORO

Señor, que florezca la rosa,
no me la dejéis en sombra.

YERMA

Sobre mi carne marchita,
la rosa de maravilla.

(Entran.)

*(Salen MUCHACHAS corriendo, con largas cintas
en las manos, por la izquierda. Por la derecha,
otras tres mirando hacia atrás. Hay en la escena como un crescendo de voces y de ruidos
de cascabeles y colleras de campanilleros. En
un plano superior aparecen las siete MUCHA-
CHAS, que agitan las cintas hacia la izquierda.
Crece el ruido y entran dos MÁSCARAS popula-
res. Una como macho y otra como hembra. Llevan grandes caretas. El macho empuña un
cuerno de toro en la mano. No son grotescas
de ningún modo, sino de gran belleza y con un
sentido de pura tierra. La hembra agita un co-
llar de grandes cascabeles. El fondo se llena de
gente que grita y comenta la danza. Está muy
anochecido.)*

NIÑOS

¡El demonio y su mujer! ¡El demonio y su mujer!

HEMBRA

En el río de la sierra
la esposa triste se bañaba.
Por el cuerpo le subían
los caracoles del agua.
La arena de las orillas
y el aire de la mañana
le daban fuego a su risa
y temblor a sus espaldas.
¡Ay, qué desnuda estaba
la doncella en el agua!

NIÑO

¡Ay, cómo se quejaba!

HOMBRE 1.º

¡Ay, marchita de amores
con el viento y el agua!

HOMBRE 2.º

¡Que diga a quién espera!

HOMBRE 1.º

¡Que diga a quién aguarda!

HOMBRE 2.º

¡Ay, con el vientre seco
y la color quebrada!

HEMBRA

Cuando llegue la noche lo diré,
cuando llegue la noche clara.

Cuando llegue la noche de la romería
rasgaré los volantes de mi enagua.

NIÑO

Y en seguida vino la noche.
¡Ay, que la noche llegaba!
Mirad qué oscuro se pone
el chorro de la montaña.

(Empiezan a sonar unas guitarras.)

MACHO
(Se levanta y agita el cuerno)

¡Ay, qué blanca
la triste casada!
¡Ay, cómo se queja entre las ramas!
Amapola y clavel será luego
cuando el macho despliegue su capa.

(Se acerca.)

Si tú vienes a la romería
a pedir que tu vientre se abra,
no te pongas un velo de luto,
sino dulce camisa de holanda.
Vete sola detrás de los muros,
donde están las higueras cerradas,
y soporta mi cuerpo de tierra
hasta el blanco gemido del alba.
¡Ay, cómo relumbra!
¡Ay, cómo relumbraba,
ay, cómo se cimbrea la casada!

HEMBRA

¡Ay, que el amor le pone
coronas y guirnaldas,

y dardos de oro vivo
en su pecho se clavan!

MACHO

Siete veces gemía,
nueve se levantaba,
quince veces juntaron
jazmines con naranjas.

HOMBRE 3.º

¡Dale ya con el cuerno!

HOMBRE 2.º

¡Con la rosa y la danza!

HOMBRE 1.º

¡Ay, cómo se cimbrea la casada!

MACHO

En esta romería
el varón siempre manda.
Los maridos son toros.
El varón siempre manda,
y las romeras flores,
para aquel que las gana.

NIÑO

¡Dale ya con el aire!

HOMBRE 2.º

¡Dale ya con la rama!

MACHO

¡Venid a ver la lumbre
de la que se bañaba!

HOMBRE 1.º

Como junco se curva.

HEMBRA

Y como flor se cansa.

HOMBRES

¡Que se aparten las niñas!

MACHO

Que se queme la danza
y el cuerpo reluciente
de la linda casada.

> (*Se van bailando con son de palmas y sonrisas. Cantan.*)

El cielo tiene jardines
con rosales de alegría
entre rosal y rosal,
la rosa de maravilla.

> (*Vuelven a pasar dos* MUCHACHAS *gritando Entra la* VIEJA *alegre.*)

VIEJA

A ver si luego nos dejáis dormir. Pero luego será ella. (*Entra* YERMA.) ¡Tú! (YERMA *está abatida y no habla.*) Dime, ¿para qué has venido?

Yerma

No sé.

Vieja

¿No te convences? ¿Y tu esposo?

(Yerma da muestra de cansancio y de persona a la que una idea fija le quiebra la cabeza.)

Yerma

Ahí está.

Vieja

¿Qué hace?

Yerma

Bebe. *(Pausa. Llevándose las manos a la frente.)* ¡Ay!

Vieja

¡Ay, ay! Menos ¡ay! y más alma. Antes no he podido decirte nada, pero ahora sí.

Yerma

¡Y qué me vas a decir que ya no sepa!

Vieja

Lo que ya no se puede callar. Lo que está puesto encima del tejado. La culpa es de tu marido. ¿Lo oyes? Me dejaría cortar las manos. Ni su padre, ni su abuelo, ni su bisabuelo se portaron como hombres de casta. Para tener un hijo ha sido necesario que se junte el cielo con la tierra. Están hechos con saliva. En cambio, tu gente no. Tienes hermanos y primos a cien leguas a la redonda. Mira qué maldición ha venido a caer sobre tu hermosura.

YERMA

Una maldición. Un charco de veneno sobre las espigas.

VIEJA

Pero tú tienes pies para marcharte de tu casa.

YERMA

¿Para marcharme?

VIEJA

Cuando te vi en la romería me dio un vuelco el corazón. Aquí vienen las mujeres a conocer hombres nuevos. Y el santo hace el milagro. Mi hijo está sentado detrás de la ermita esperándote. Mi casa necesita una mujer. Vete con él y viviremos los tres juntos. Mi hijo sí es de sangre. Como yo. Si entras en mi casa, todavía queda olor de cunas. La ceniza de tu colcha se te volverá pan y sal para las crías. Anda. No te importe la gente. Y en cuanto a tu marido, hay en mi casa entrañas y herramientas para que no cruce siquiera la calle.

YERMA

¡Calla, calla, si no es eso! Nunca lo haría. Yo no puedo ir a buscar. ¿Te figuras que puedo conocer otro hombre? ¿Dónde pones mi honra? El agua no se puede volver atrás ni la luna llena sale al mediodía. Vete. Por el camino que voy seguiré. ¿Has pensado en serio que yo me pueda doblar a otro hombre? ¿Que yo vaya a pedirle lo que es mío como una esclava? Conóceme, para que nunca me hables más. Yo no busco.

VIEJA

Cuando se tiene sed, se agradece el agua.

YERMA

Yo soy como un campo seco donde caben arando
mil pares de bueyes y lo que tú me das es un pequeño
vaso de agua de pozo. Lo mío es dolor que ya no está
en las carnes.

VIEJA
(Fuerte)

Pues sigue así. Por tu gusto es. Como los cardos
del secano, pinchosa, marchita.

YERMA
(Fuerte)

¡Marchita, sí, ya lo sé! ¡Marchita! No es preciso
que me lo refriegues por la boca. No vengas a sola-
zarte como los niños pequeños en la agonía de un
animalito. Desde que me casé estoy dándole vueltas
a esta palabra, pero es la primera vez que la oigo, la
primera vez que me la dicen en la cara. La primera
vez que veo que es verdad.

VIEJA

No me das ninguna lástima, ninguna. Yo buscaré
otra mujer para mi hijo.

> *(Se va. Se oye un gran coro lejano cantado por
> los romeros.* YERMA *se dirige hacia el carro y
> aparece detrás del mismo su marido.)*

YERMA

¿Estabas ahí?

JUAN

Estaba.

YERMA

¿Acechando?

JUAN

Acechando.

YERMA

¿Y has oído?

JUAN

Sí.

YERMA

¿Y qué? Déjame y vete a los cantos. *(Se sienta en las mantas.)*

JUAN

También es hora de que yo hable.

YERMA

¡Habla!

JUAN

Y que me queje.

YERMA

¿Con qué motivos?

JUAN

Que tengo el amargor en la garganta.

YERMA

Y yo en los huesos.

JUAN

Ha llegado el último minuto de resistir este continuo lamento por cosas oscuras, fuera de la vida, por cosas que están en el aire.

YERMA
(Con asombro dramático)

¿Fuera de la vida, dices? ¿En el aire, dices?

JUAN

Por cosas que no han pasado y ni tú ni yo dirigimos.

YERMA
(Violenta)

¡Sigue! ¡Sigue!

JUAN

Por cosas que a mí no me importan. ¿Lo oyes? Que a mí no me importan. Ya es necesario que te lo diga. A mí me importa lo que tengo entre las manos. Lo que veo por mis ojos.

YERMA
(Incorporándose de rodillas, desesperada)

Así, así. Eso es lo que yo quería oír de tus labios... No se siente la verdad cuando está dentro de una misma, pero ¡qué grande y cómo grita cuando se pone fuera y levanta los brazos! ¡No le importa! ¡Ya lo he oído!

JUAN
(Acercándose)

Piensa que tenía que pasar así. Óyeme. *(La abraza para incorporarla.)* Muchas mujeres serían felices de llevar tu vida. Sin hijos es la vida más dulce. Yo soy feliz no teniéndolos. No tenemos culpa ninguna.

YERMA

¿Y qué buscabas en mí?

JUAN

A ti misma.

YERMA

(Excitada)

¡Eso! Buscabas la casa, la tranquilidad y una mujer. Pero nada más. ¿Es verdad lo que digo?

JUAN

Es verdad. Como todos.

YERMA

¿Y lo demás? ¿Y tu hijo?

JUAN

(Fuerte)

¿No oyes que no me importa? ¡No me preguntes más! ¡Que te lo tengo que gritar al oído para que lo sepas, a ver si de una vez vives ya tranquila!

YERMA

¿Y nunca has pensado en él cuando me has visto desearlo?

JUAN

Nunca.

(Están los dos en el suelo.)

YERMA

¿Y no podré esperarlo?

JUAN

No.

YERMA

¿Ni tú?

JUAN

Ni yo tampoco. ¡Resígnate!

YERMA

¡Marchita!

JUAN

Y a vivir en paz. Uno y otro, con suavidad, con agrado. ¡Abrázame! *(La abraza.)*

YERMA

¿Qué buscas?

JUAN

A ti te busco. Con la luna estás hermosa.

YERMA

Me buscas como cuando te quieres comer una paloma.

JUAN

Bésame... así.

YERMA

Eso nunca. Nunca. (YERMA *da un grito y aprieta la garganta de su esposo. Este cae hacia atrás. Le aprieta la garganta hasta matarle. Empieza el coro de la romería.)* Marchita, marchita, pero segura. Ahora sí que lo sé de cierto. Y sola. *(Se levanta. Empieza a llegar gente.)* Voy a descansar sin despertarme sobresaltada, para ver si la sangre me anuncia otra sangre nueva. Con el cuerpo seco para siempre. ¿Qué queréis saber? ¡No os acerquéis, porque he matado a mi hijo, yo misma he matado a mi hijo!

(Acude un grupo que queda al fondo. Se oye el coro de la romería.)

Telón

FIN DE «YERMA»

ÍNDICE DE AUTORES
DE LA
COLECCIÓN AUSTRAL

COLECCIÓN AUSTRAL

VOLÚMENES PUBLICADOS HASTA EL NÚMERO 1576

ÍNDICE DE AUTORES

ÍNDICE DE AUTORES

ÍNDICE DE AUTORES

ÍNDICE DE AUTORES

ÍNDICE DE AUTORES

ÍNDICE DE AUTORES

ÍNDICE DE AUTORES

ÍNDICE DE AUTORES

ÍNDICE DE AUTORES

ÍNDICE DE AUTORES